雅楽(ががく)と民謡(みんよう)の図鑑(ずかん)

国土社編集部／編

国土社

目次 雅楽と民謡の図鑑

雅楽を楽しもう！ ……………………… 3
- 雅楽ってどんな音楽？ ……………………… 4
- 雅楽の舞台ってどんなところ？ …………… 6
- どんなふうに演奏されるの？ ……………… 8
- 管絃ってどんなもの？ ……………………… 11
  - リーダーが担当する　羯鼓 …………… 12
  - 拍子の区切りで打つ　太鼓 …………… 14
  - 「鼓」と書くけれど鉦の仲間　鉦鼓 …… 16
  - 頸が直角に曲がっている　琵琶 ……… 18
  - 龍が名前に多くつく　箏 ………………… 20
  - 鳳凰に見立ててつくられた　笙 ……… 22
  - メロディを奏でる　篳篥 ………………… 24
  - 龍ににせてつくられた　笛 ……………… 26
- 舞楽ってどんなもの？ ……………………… 29
  - 赤系統の装束で舞う　左方 …………… 30
  - 青系統の装束で舞う　右方 …………… 32
  - どうしてあるの？　左と右 ……………… 34
- コラム1　文学に登場する雅楽 …………… 35
- 歌物ってどんなもの？ ……………………… 36
- 国風歌舞ってどんなもの？ ………………… 37
- 雅楽の音はドレミファソラシドではない!? … 38
- コラム2　雅楽から生まれた言葉 ………… 39
- 雅楽の歴史 …………………………………… 40
- 雅楽が見られる場所 ………………………… 43
- 楽師になるには ……………………………… 44

民謡を楽しもう！ ……………………… 45
- 民謡ってどんな音楽？ ……………………… 46
- 仕事の歌ってどんな歌？ …………………… 48
  - 漁師が大漁を祝って歌った　斎太郎節 … 50
  - 今では華やかな田植え行事　田植歌 … 51
  - 急な山道を歌って越えた　箱根馬子唄 … 52
  - 酒づくりの仕上げに歌う　酒屋歌(さんころ) … 53
- おどりの歌ってどんな歌？ ………………… 54
  - 酒樽をたたいて歌う　八木節 …………… 55
  - 学生の間で大流行　デカンショ節 ……… 56
  - 美しい海岸の名前がついた　谷茶前 … 57
- 祭りや祝いの歌ってどんな歌？ …………… 58
  - 平家が伝えた　こきりこ節 ……………… 59
- コラム3　祭りを盛り上げるお囃子 ……… 60
- 楽しむための歌、語り物、祝福芸の歌ってどんな歌？ … 62
  - 全国に広まった　伊勢音頭 ……………… 63
  - お座敷遊びで歌って遊ばれる　金毘羅船々 … 64
  - みんなを笑わせて福をよぶ　三河萬歳 … 65
- 子守歌、わらべ歌ってどんな歌？ ………… 66
  - お盆に帰れる日を夢見て歌う　五木の子守唄 … 67
  - みんなで歌って遊ぶ　なべなべそこぬけ … 67
- アイヌの歌ってどんな歌？ ………………… 68
- 新しい民謡ってどんな歌？ ………………… 69
- 全国の民謡 …………………………………… 70
- コラム4　雅楽「越殿楽」がルーツの「黒田節」 … 71
- 民謡で使う楽器 ……………………………… 72
- 声で盛り上げるお囃子 ……………………… 74
- 民謡の歴史 …………………………………… 75
- 全国の民謡大会 ……………………………… 76
- 民謡歌手になるには ………………………… 77
- さくいん ……………………………………… 78

雅楽ってどんな音楽？

お正月に神社や寺院でよく耳にすることがある音楽が雅楽です。雅楽は日本で1300年以上も続いている音楽と舞です。遠い昔、アジア大陸の音楽と舞が日本に伝わり、日本にもともとあった音楽とまざりあい発展し、雅楽ができました。その歴史と芸術性が認められ、2009（平成21）年、ユネスコの世界無形文化遺産に登録されました。

雅楽の種類

雅楽は、成り立ちから大きく3つに分けることができます。

大陸からきた音楽

5世紀から9世紀のころ、中国大陸や朝鮮半島などから伝わった音楽をもとに発展した音楽と舞。音楽は大きく分けて大陸から伝わった「唐楽」と朝鮮半島から伝わった「高麗楽」がある。

> 大陸からきた音楽なんだけど、今では、日本にしか残っていないんだよ。

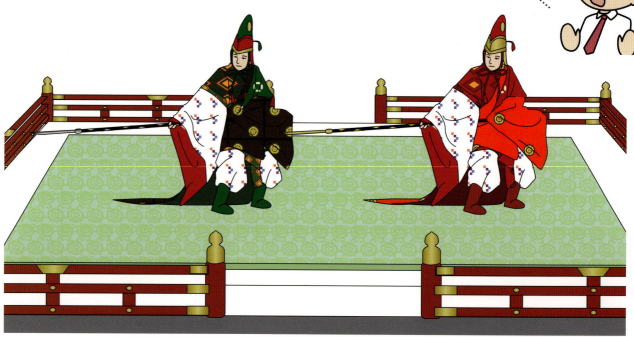

「振鉾」という曲の舞。左右の舞人が1人ずつ出て舞う。

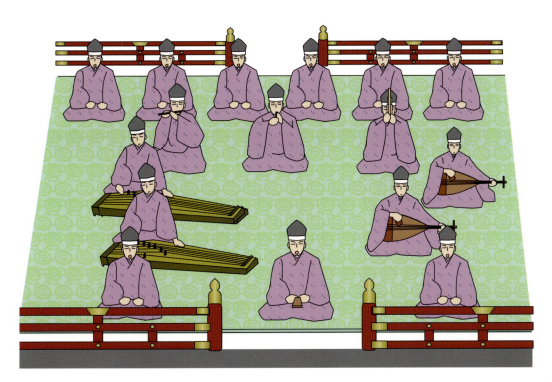

平安時代に日本で完成した音楽

大陸からきた音楽の影響を受けながら、平安時代に日本人により作曲された雅楽曲や、日本の民謡をもとに歌った「催馬楽」、漢詩を歌った「朗詠」がある。催馬楽や朗詠は平安貴族たちに愛され、宮廷歌謡として発展した。

日本古来の音楽

日本にもともとあった古い音楽をもとに発展した歌や舞。「御神楽」「東遊」「久米歌(久米舞)」「大歌(五節舞)」「倭歌(倭舞)」などがあり、神事や天皇にかかわる儀式、朝廷のさまざまな行事で演奏されてきた。

雅楽の舞台ってどんなところ？

　雅楽の舞台は、演奏される場所によってさまざまです。芝の上につくられる舞台や、海や池の上に浮かんでいるようにつくられる舞台など、いろいろあります。大きくは、高舞台と敷舞台に分かれます。高舞台の上にも敷舞台がおかれています。宮内庁式部職楽部の高舞台を見てみましょう。

大太鼓（左）
太鼓の面は約２メートル。鼓面のまん中に巴が３つある三巴が描かれている。棹の先は日輪（太陽）。

白布
敷舞台のまわりをかこむ白い布。

高欄
舞台をかこむ手すり。柱には、玉の先がとがった形をした宝珠のかざりがついている。

高舞台
高舞台は高さ約90センチ、広さ約７メートル四方の正方形。

白砂
もともと外で演奏されていたため、宮内庁式部職楽部の高舞台は室内にあるが、舞台のまわりは白砂がしきつめられている。

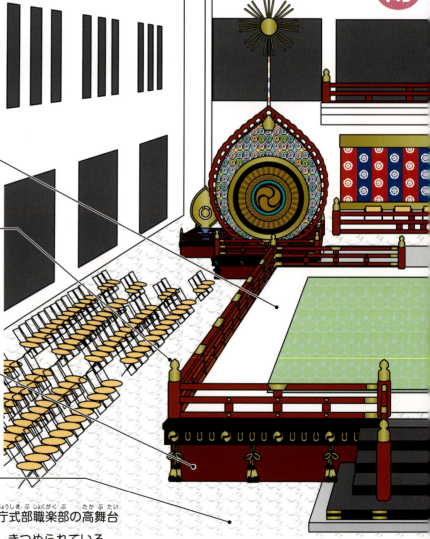

雅楽を楽しもう！

舞台は、正面が北なんじゃ。偉い人は南を向いて座る、とされていて、演奏する人は北向きに演奏するようになっているのじゃよ。

階（きざはし） 前後にある階段。後ろの階段から演奏する楽人が入退場する。

楽所幕（がくそまく） 織田家の家紋として知られる紋が描かれた幕。▶42ページ

大太鼓（右）（だだいこみぎ） 左と形は同じだが、鼓面には巴が2つある二巴が描かれている。棹の先は月輪（月）。

西

敷舞台（しきぶたい） 高さ約21センチ、広さ約5.4メートル四方の舞台。牡丹唐草模様が織りこまれた緑の布でまいている。この上で楽器の演奏や舞がおこなわれる。

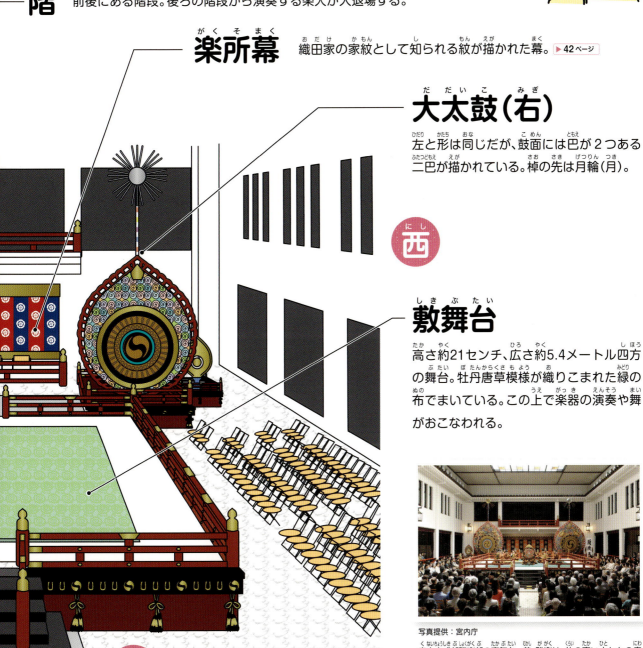

北 客席側

写真提供：宮内庁
宮内庁式部職楽部の高舞台。昔、雅楽は、位の高い人たちの庭などで演奏されていたが、今では室内で演奏されることが多くなった。

どんなふうに演奏されるの？

雅楽は目や耳で楽しむ音楽です。楽器演奏だけのもの、それらに舞をともなうものなどがあります。また、歌が中心となるものもあります。演奏のちがいから雅楽を見てみましょう。

管絃 ▶10ページ

楽器の演奏のみでおこなわれ、「世界最古のオーケストラ」といわれている。現在は、おもに中国大陸から伝わった「唐楽」が演奏される。管絃に使われる楽器は決まっていて、座る配置も決められている。

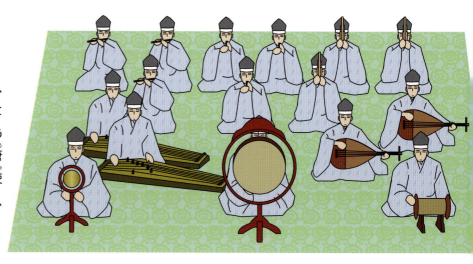

舞楽 ▶28ページ

楽器演奏に舞をともなったもの。舞楽は、左方 ▶30ページ と右方 ▶32ページ に分けられる。左方の装束は赤色系、右方の装束は青色系が多い。

雅楽を楽しもう！

楽器演奏、舞、歌と雅楽っていろいろあるのね。

歌物 ▶36ページ

歌と楽器で演奏される。歌物には「催馬楽」と「朗詠」がある。催馬楽は、平安時代、日本各地の民謡をもとにつくられた歌。朗詠は漢詩をもとにつくられた歌。

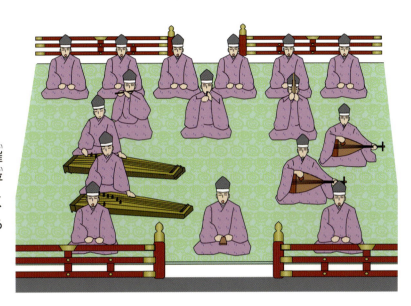

国風歌舞 ▶37ページ

歌、舞、楽器で演奏される。昔から日本にあった歌や舞がもととなり、大陸から伝わった音楽とまざりあい、平安時代に完成した。「御神楽」「東遊」「大歌（五節舞）」などいろいろある。五節舞は女性が舞う曲。

雅楽を楽しもう！

管絃ってどんなもの？

管絃と楽器
▶12〜27ページ

管絃に使われる楽器は決まっている。打楽器は鞨鼓、太鼓、鉦鼓の3つで打物とよばれる。絃楽器は琵琶、箏の2つで弾物とよばれる。管楽器は笙、篳篥、笛の3つで吹物とよばれる。演奏するときは、打楽器は1人ずつの3人、絃楽器が2人ずつの4人、管楽器が3人ずつの9人で、合計16人。楽器には位があり、高い位から鞨鼓、太鼓、鉦鼓、琵琶、箏、笙、篳篥、笛の順である。

「雅楽道友会　第1回演奏会」
きゅりあん（品川区立総合区民会館）大ホールにて

打楽器が最前列、次が絃楽器、最後列が管楽器。雅楽には指揮者がいないので、後列の人が鞨鼓や琵琶の手の動きなどを見られるならび方となっている。

リーダーが担当する
鞨鼓（かっこ）

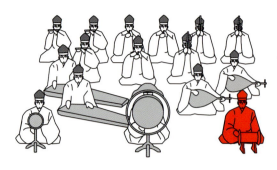

　鞨鼓は楽長（リーダー）が担当します。丸い筒型で、木でつくられた胴と、胴よりも大きくつくられた鉄の輪に革の膜をはった2つの革面で両側をはさんでつくられています。革面は革のひもでしめられています。

構造

胴
まん中が少しふくらんだ筒型。桜の木などでつくられ、長さ約30センチ。
赤と青の牡丹の花が描かれていて、客席側に赤が見えるようにおく。

裏

革面
両側、鉄の輪の直径は約23センチ。膜は馬の革でできている。

台
足の手前のへこみ部分にバチをおく。

バチ
東南アジアでとれる高級木材の唐木でつくられており、長さ約36センチ。

雅楽を楽しもう！

演奏方法

鞨鼓を打つことを「掻く」という。左右の手にバチを持ち、横のほうから円を描くように掻く。鼓面を1つ掻くことを「正」、連続して掻くことを「来」という。また、片方の手で掻くことを「片来」といい、両手で掻くのは「諸来」という。また、「壱鼓打ち」という打ち方もある。

諸来
両手で掻く。
バチはギュッとにぎらず、軽く持つ。

壱鼓打ち
左手はバチを立てて動かさない。
右手だけで掻く。

鞨鼓の譜面

曲「越殿楽」の鞨鼓の譜面。「早四拍子」は拍子をしめしている。▶39ページ 左右にある記号「来」は「諸来」を、「正」は右手で1つ掻くことを、左だけにある「来」は「片来」をしめしている。

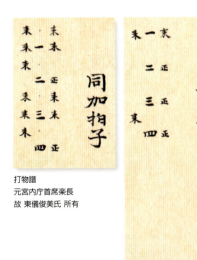

打物譜
元宮内庁首席楽長
故 東儀俊美氏 所有

役割・作法

管絃で最初に舞台へあがるのが鞨鼓の演奏者。最初は正座で座る。笙の音と合わせて絃楽器の調絃が終わると、鞨鼓の人だけが礼をし、あぐらを組む（楽座）。それに合わせ全員が楽座になる。演奏をはじめる合図を出すのも鞨鼓。鞨鼓がバチを手に持つことが演奏をはじめる合図となっている。

管絃

拍子の区切りで打つ
太鼓（たいこ）

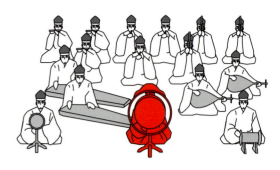

　管絃で使われる太鼓は、舞台の最前列中心にある「楽太鼓」のこと。台輪の三方から金具やひもで太鼓をつっているので、「釣太鼓」ともよばれ、通常は「太鼓」とよばれています。

構造

左右に金属の輪があり、演奏しないときはバチをここにかける。

バチ
長さ約25センチ。木でつくられている。頭の部分は鹿の革などで包んでいる。曲の途中は、台輪の足にかかるようにおく。

胴の両面に革を鋲で打ってはっている。

革面
直径約55センチ。厚さ約20センチ。3匹の唐獅子や三巴が描かれている。

台輪
下は十字に広がった4本足。上にある円形の部分に太鼓がつるされる。

演奏方法

バチを両手に持って打つ。左のバチを打つことを「図」、右のバチを打つことを「百」という。左のバチは右のバチよりもやや弱く打つ。

左手で打つ、図。まずは左から打つ。打ったら、面の下までバチをおろす。

続いて右で打つ、百。左と同じく面の下までバチをおろす。

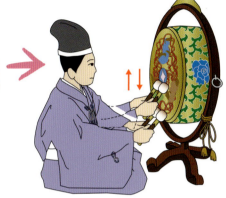
両手のバチを面につけ、面をするように、下から中心あたりまであげておろす。これで音をおさえる。

太鼓の譜面

曲「越殿楽」の太鼓の譜面。「早四拍子」は拍子をしめしている。▶39ページ ●のところで打つ。左の●は左手で打つ「図」、右の●は右手で打つ「百」をしめしている。

打物譜
元宮内庁首席楽長
故 東儀俊美氏 所有

役割・作法

バチは、太鼓の台輪の両側にある輪にかけてある。バチをとるときは、まず左手で左のバチをかけている輪を持ち、右手でバチをとり、左手に持ちかえて台輪の足におく。右のバチも同様にバチをとり、足におく。曲が進み、鞨鼓がバチをとったら太鼓もバチを両ひざの上でかまえる。演奏が終わり、バチを輪にもどすときは、逆に右のバチからもどす。もどし方はとるときと同じく、バチがあるほうの手で輪を持ち、バチを輪にとおす。このほかにも、演奏者により、作法はいろいろある。

左手で輪っかをおさえて右手でバチをとる

管絃（かんげん）

「鼓（つづみ）」と書（か）くけれど鉦（かね）の仲間（なかま）
鉦鼓（しょうこ）

　鉦鼓（しょうこ）は鉦（かね）の一種（いっしゅ）で、雅楽（ががく）の楽器（がっき）の中（なか）でただひとつの金属楽器（きんぞくがっき）。高（たか）い音色（ねいろ）で演奏（えんそう）を華（はな）やかにします。管絃（かんげん）で使（つか）う鉦鼓（しょうこ）は「釣鉦鼓（つりしょうこ）」ともよばれ、木枠（きわく）にひもで鉦（かね）をつって固定（こてい）しています。

構造（こうぞう）

鉦（かね）
直径（ちょっけい）約15センチ。上側（うえがわ）3か所（しょ）にひもをつけて、枠（わく）につるす。

枠（わく）
木（き）でつくった枠（わく）。上（うえ）には火焔（かえん）をあらわす金属（きんぞく）の板（いた）をつけている。下（した）は十字（じゅうじ）に広（ひろ）がった4本足（ほんあし）。

裏（うら）

枠（わく）の上（うえ）にあるフックにバチのひもをかけてつるす。

バチ

長（なが）さは約39センチ。木（き）でつくられている。鉦（かね）をたたく部分（ぶぶん）は木（き）や水牛（すいぎゅう）の角（つの）で丸（まる）くつくられている。

演奏方法

鉦鼓は打つといわずに「摺る」という。摺るときは、ゆっくりとバチを上げ、ポトンと落とすように鉦の中央あたりにあてる。太鼓の音に合わせるように摺って鳴らす。左手で摺る「久」と右手で摺る「礼」、両手で摺る「久礼」がある。

片方の手で摺る「久」と「礼」。バチを鉦の中央にあて「チン」とならし、摺るようにして鉦の下の縁でとめる。

両方の手で摺る「久礼」。両方のバチを鉦にあてるが、やや左をはやくあてるため、「チチン」と聞こえる。

鉦鼓の譜面

曲「越殿楽」の鉦鼓の譜面。片方の手で摺る「久」「礼」は「金」と表示され、両方の手で摺る「久礼」は「金金」と表示される。「早四拍子」は拍子をしめしている。▶39ページ

打物譜
元宮内庁首席楽長
故 東儀俊美氏 所有

役割・作法

鉦鼓は片方の手で2本のバチを持ち、もう一方の手でひもをはずす。両手でバチを持ちひざの上におく。曲が進み鞨鼓がバチをとったら、鉦鼓もバチをかまえる。左右の手でバチを持ち、鉦の下の部分にあててかまえる。

管絃

頸が直角に曲がっている
琵琶

　果物のビワに形がにていることから「琵琶」と名前がつけられた、といわれています。弾く面が平で、裏面は丸みをおびています。雅楽以外にもいろいろな種類の琵琶がありますが、雅楽の琵琶がもっとも歴史が古く、一番大きいです。

構造

全長約1メートル。
重さ約7キロ。

半手 転手がある部分。
転手 絃を巻いて調整する。
頸 柱がある部分。
柱 音の高さを決める。
バチ 絃をはじいて音を出す。
腹板 平らな面。4本の絃がはってある。
半月 共鳴孔。音がひびくようにあけられたあな。
覆手 絃を支える部分。バチをしまう場所。
撥面 腹板をバチから守るために皮をはっている撥面。

裏

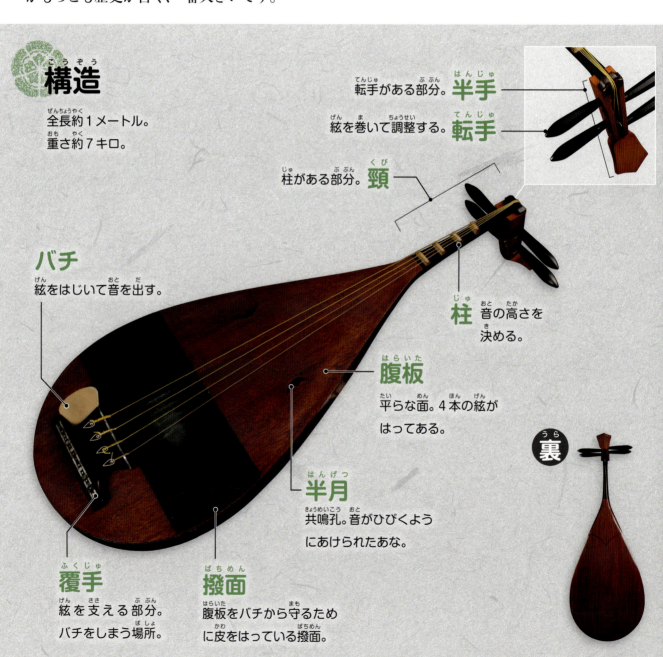

雅楽を楽しもう！

演奏方法

琵琶の演奏は「弾く」という。琵琶を横にして、しゃもじ型のバチで絃をはじいて弾く。半円を描くように腕を動かし、上から下へ、音の低い絃から高い絃に向けて鳴らす方法が基本。反対に下の絃から上に向けて弾く演奏方法もある。

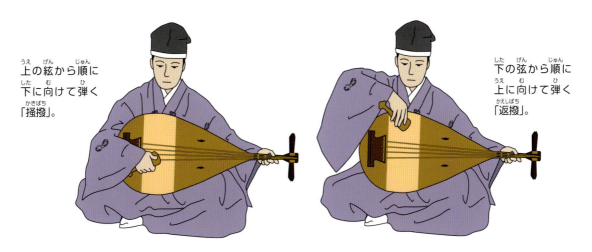

上の絃から順に下に向けて弾く「掻撥」。

下の弦から順に上に向けて弾く「返撥」。

琵琶の譜面

曲「越殿楽」の琵琶の譜面。下の譜面は笛の譜面をもとにして、琵琶の譜面が書かれている。右に書かれた赤字が琵琶の弾き方をしめしている。「早四拍子」は拍子をしめしている。▶39ページ

役割・作法

舞台に出たら、まず音を確認する調絃をおこなう。バチを覆手の内側から出し、舞台におき、指で音を鳴らす。調絃がすんだらバチを覆手の内側にもどす。なお、演奏中と調絃中以外、バチは覆手にしまわれている。

調絃が終わったらバチは…ここにしまうよ

監修：上 明彦　発行企画：楽中練

管絃

龍が名前に多くつく
箏（そう）

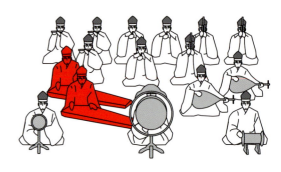

13本の絃をはった楽器。雅楽以外で使われる箏と区別して「楽箏」ともいわれます。各部分に伝説の生き物「龍」の名前が多くついています。

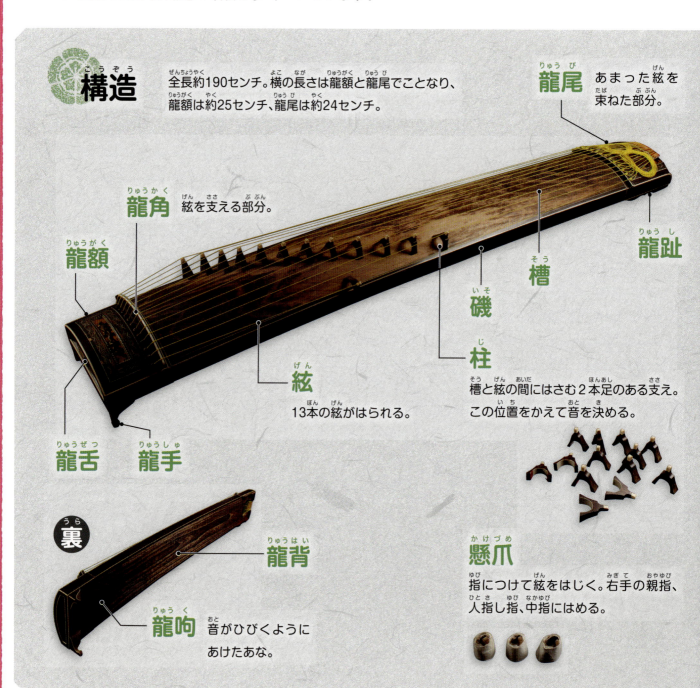

構造
全長約190センチ。横の長さは龍額と龍尾でことなり、龍額は約25センチ、龍尾は約24センチ。

- **龍尾**（りゅうび）：あまった絃を束ねた部分。
- **龍角**（りゅうかく）：絃を支える部分。
- **龍趾**（りゅうし）
- **龍額**（りゅうがく）
- **槽**（そう）
- **磯**（いそ）
- **柱**（じ）：槽と絃の間にはさむ2本足のある支え。この位置をかえて音を決める。
- **絃**（げん）：13本の絃がはられる。
- **龍舌**（りゅうぜつ）
- **龍手**（りゅうしゅ）

裏
- **龍背**（りゅうはい）
- **龍吼**（りゅうく）：音がひびくようにあけたあな。

懸爪（かけづめ）：指につけて絃をはじく。右手の親指、人指し指、中指にはめる。

雅楽を楽しもう！

演奏方法

箏は演奏者から見て、右に龍額がくるようにおき、右手にはめた懸爪で絃をはじいて演奏する。左手は、柱の左側の絃の上にそえる。弾き方は、3本の指で拍子をとる「閑掻」や「早掻」、1絃だけで弾く「小爪」「障」「返爪」、数絃を順に弾く「連」や「結手」がある。

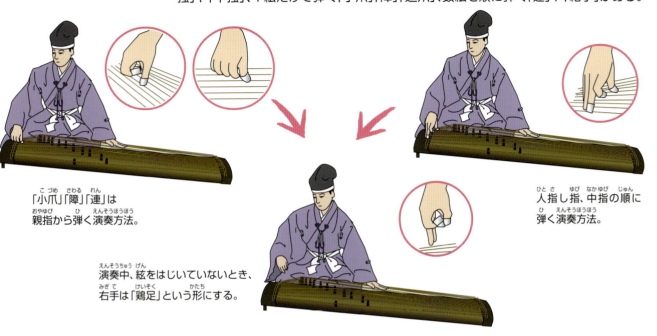

「小爪」「障」「連」は親指から弾く演奏方法。

演奏中、絃をはじいていないとき、右手は「鶏足」という形にする。

人指し指、中指の順に弾く演奏方法。

箏の譜面

曲「越殿楽」の箏の譜面。下の譜面は笛の譜面をもとにして、箏の譜面が書かれている。曲名下にある「閑掻」や楽譜中の赤字が弾き方をしめしている。「早四拍子」は拍子をしめしている。▶39ページ

監修：東儀俊美　発行企画：楽中練

役割・作法

演奏中以外は、爪を隠す。舞台にあがるとき、爪をつけてあがるが、左手で右手の爪が見えないようにして歩く。また、舞台に座ってからも、演奏するとき以外は、歩いているときと同じように左手で右手を隠し、爪が見えないようにする。

演奏してないときは手をこうするのさ！能ある鷹は爪を隠すってね！

管絃

鳳凰に見立ててつくられた 笙(しょう)

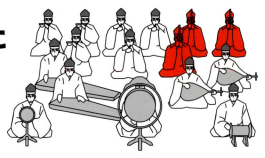

　17本の竹の管を丸くならべてつくられた管楽器。ふいてもすっても音が出ます。伝説の生き物の鳳凰に見立ててつくられたといわれており、「鳳笙」ともよばれます。

構造

17本の竹管。1本ずつ名前がついている。竹管の表や裏の上下には丸や四角のあながあいていて、下の丸いあなを指でふさいで音を出す。ふいてもすっても同じ管からは同じ音が出る。あなをふさぐ管をかえて音をかえる。

指あな　このあなを指でふさぎ音を鳴らす。

帯　竹管をまとめている。

頭(かしら)　竹管をさす部分。

ふき口　ここに口をつけて、このあなから息をふいたりすったりする。

ふき口を逆にしておいた様子。竹管のない部分がある。

屏上(びょうじょう)　竹の裏側にある長方形のあな。屏上の高さと簧で音が決まる。

竹管　頭にさしている順にならべたもの。

竹管と簧(した)　簧は竹管の下の部分にある根継といわれる部分にとりつけられる。簧と竹管の組み合わせは音によって決まっている。写真は音の高さ順にならべたもの。

笙ができるまで

1　竹を切り、下に根継という頭にさしこむ部分をつける。

2　竹管の側面をけずり、組み合うようにして、頭にさしこむ。

3　響銅という金属で簧をつくる。大きさを整え音を出す部分をけずる

演奏方法

ふき口に口をあて、竹管の下にある指あなを指でふさいで音を出す。息をふいたり、すったりすることを「気替」といい、曲の流れがかわる拍節できりかえる。ふき方には息の使い方、手移という奏法、気替のちがいで「管絃吹」「於世吹」「舞楽吹」などがある。越殿楽などの曲を演奏するときは、「合竹」という5〜6音からなる和音が基本。使う指は、左手の親指、人指し指、中指、薬指、そして、右手の親指、人指し指で、右手の人指し指は竹管のささっていない部分から内側に入れて、内側にあけられたあなをおさえる。

右手の人指し指は内側に入れている。

両方の手で頭を包むように持つ。

ふき口に口をあててふく。

笙の譜面

曲「越殿楽」の笙の譜面。まん中にある文字は笙のふき方をしめしている。「早四拍子」は拍子をしめしている。▶39ページ

天理教香川大教会 香川雅正会 提供

役割・作法

笙はほかの楽器に音律を伝えるので、演奏前の調整が大切。演奏中は、手移という奏法で、ほかの楽器より先に音を出して、先導している。笙、笛、篳篥は演奏者が持って舞台にあがる。笙の演奏者が座る場所には火鉢がおかれていて、ふいた息で簧に水分がついてこわれないよう、頭や竹管をあたためている。

演奏してないときは火鉢であたためているんだよ

冬はいいけど夏はアツイ！

4 簧に蜜蝋の重りをつけ、息もれをなくすために、孔雀石の粉をぬる。

5 簧を根継につける。

6 音を確認しながら重りの重さをかえ、調整し、完成。

管絃

メロディを奏でる
篳篥（ひちりき）

表に7つ、裏に2つのあながある、竹でできた縦笛。「蘆舌」というリードを管にさしてふくことで音が出ます。ふく息の強弱で、同じ指使いでも音の高さをかえることができます。大きな音でメロディを奏でます。

構造

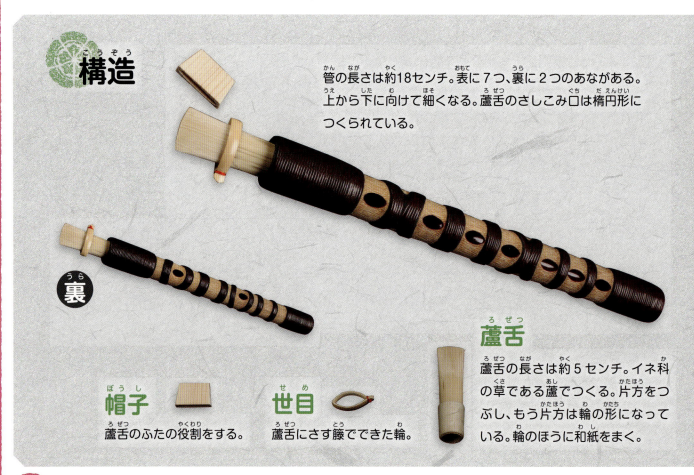

管の長さは約18センチ。表に7つ、裏に2つのあながある。上から下に向けて細くなる。蘆舌のさしこみ口は楕円形につくられている。

裏

帽子
蘆舌のふたの役割をする。

世目
蘆舌にさす籐でできた輪。

蘆舌
蘆舌の長さは約5センチ。イネ科の草である蘆でつくる。片方をつぶし、もう片方は輪の形になっている。輪のほうに和紙をまく。

篳篥（ひちりき）ができるまで

1 竹を切って長さを整え、中にうるしをぬり、あなをあける。

2 樺や籐をまいて、管の完成。

3 蘆舌をつくる。蘆を切って皮をけずる。

演奏方法

左手を上に、右手を下に、篳篥を持つ。左右の親指で裏のあなをおさえる。表のあなは、左手の人指し指、中指、薬指、右手の人指し指、中指、薬指、小指でおさえる。指あなをかえず、ふく息の強さや蘆舌のくわえ方で音の高さをかえる「塩梅」という演奏方法がある。

客席に対して正面のままふく。

息の強弱、蘆舌のくわえ方をかえることで音をかえる。

裏のあなは親指、表のあなは左手の人指し指から順におさえる。左手の小指はあなをおさえない。

篳篥の譜面

曲「越殿楽」の篳篥の譜面。笛の譜面をもとにして、篳篥の譜面が書かれている。まん中にある文字「チラロル」などの左横の記号がふき方をしめしている。「早四拍子」は拍子をしめしている。▶39ページ

天理教香川大教会 香川雅正会 提供

役割・作法

舞台にあがる前に、楽屋で蘆舌をお茶につけて湿らせる。湿らせることで蘆舌がひらき、管にさしこんだときしっかりとまる。舞台に直接おくことはなく、篳篥を入れる扇形のケースに入れて舞台にあがり、舞台上ではケースに入れた状態でおく。

4 けずったところに和紙をまき、炭火の上であぶりながらつぶす。

5 籐を輪にして 4 にあて世目をつくる。

6 ふき口の反対側に和紙をまき、蘆舌の完成。

管絃

龍ににせてつくられた
笛

笛は「龍笛」とも「横笛」ともよばれます。想像上の生き物、龍の姿ににせてつくられたといわれています。竹の皮をはがし、樺や籐を巻いています。

構造

全長約40センチ。竹でできている。あなは7つ。樺や籐で巻き、うるしでかためている。

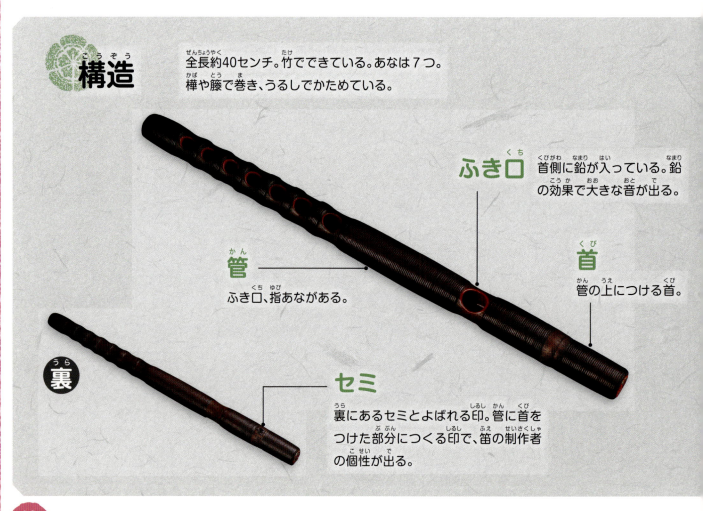

ふき口 — 首側に鉛が入っている。鉛の効果で大きな音が出る。

管 — ふき口、指あながある。

首 — 管の上につける首。

裏

セミ — 裏にあるセミとよばれる印。管に首をつけた部分につくる印で、笛の制作者の個性が出る。

笛ができるまで

1 竹を切って長さを調整する。

2 中に下地のうるしをぬって、あなをあける。中をやすりでといで調律する。

3 管の中に赤いうるしをぬ

演奏方法

左手は管の向こう側から、右手は管の手前側から持つ。指先の腹でなく、指の第1関節あたりでおさえる。下くちびるでふき口を半分ほどをふさぎ、管の内側と外側の両方に息が出るようにふきこむ。

左手の親指と小指を広げて持つ。

ふき口をふさがないように下くちびるをあててふく。

笛の譜面

曲「越殿楽」の笛の譜面。まん中にある文字は唱歌。左横の記号がふき方をしめしている。「早四拍子」は拍子をしめしている。▶39ページ

天理教香川大教会 香川雅正会 提供

役割・作法

ほとんどの曲が、笛の独奏ではじまり、演奏全体のテンポをきめる重要な役割をもつ。笛はメロディを奏でる篳篥をいろどるようにふく。ふくときの姿勢は、客席から見て笛がまっすぐに見えるように、やや右側を引いて体をななめにして座る。

舞台の上では体をななめにして座るんだ

笛が正面に向くようにだよ

カッつけてるわけじゃないよ～

4 首をつける。ここでセミも製作しつける。

5 樺や藤を巻いて管をしめる。

6 うるしをぬり、首の上から鉛を入れ、木の栓でふたをする。

雅楽を楽しもう！

舞楽ってどんなもの？

舞楽の左と右　▶34ページ

舞楽は演奏に舞をともなったもの。舞を舞う人を舞人、演奏をする人を管方という。舞楽は、左方 ▶30ページ と右方 ▶32ページ の2つに大きく分けられる。左方の舞はおもに中国大陸から伝わった音楽「唐楽」で、舞を「左舞」という。装束の色は赤系統が多い。右方の舞はおもに朝鮮半島から伝わった音楽「高麗楽」で、舞を「右舞」という。装束の色は青系統が多い。

舞の種類

左舞と右舞には、それぞれに「平舞」「走舞」「武舞」「童舞」などがある。

平舞……武器などを持たずにゆったりと舞うのが特徴で、穏やかな舞。「文舞」ともいう。

走舞……活発な動きで舞う勇壮な舞。舞人の移動も多い。

武舞……太刀と鉾を持ち、勇ましい武将の戦いの様子をあらわす舞。

童舞……子どもの舞。「わらべまい」ともいう。面をつけずにかぶりものをつけて舞う。

「雅楽道友会　第1回演奏会」
きゅりあん（品川区立総合区民会館）大ホールにて

舞楽

赤系統の装束で舞う
左方

左方の曲は、おもに大陸から伝わった唐楽が演奏されます。古代中国、唐の時代、古い歴史をもつ中国の音楽と、ペルシャやインドやベトナム地方の音楽がまじりあって高度な音楽が完成され、多種多様な楽器が発達しました。

左方の代表曲「陵王」

「蘭陵王」ともよばれる舞楽で左方の代表曲。中国南北朝時代（西暦550年ごろ）に実在した蘭陵王（高長恭）という武将を描いたもの。高長恭は美男だったために、いかめしい仮面をつけて戦にでかけ数々の勝利をものにした。舞は右手にバチを持ち、武将が指揮をしている様子をあらわす。勇壮でダイナミックな走舞。

陵王の装束

面

威厳がただよう表情の金色の面。頭には龍が口をあけて正面をにらんでいる。

裲襠

織物の中央にあなをあけ、頭から首をとおしてかぶる。丸の中に龍の模様が描かれた刺繍が前と後ろに2つずつある。

差貫

袴のような装束で、裾にひもがとおしてあり、足首で結ぶ。

袍

裲襠の下に着る。裾が長く後ろにひくようになっている。刺繍されている紋は織田家の家紋をかたどったといわれている。

雅楽を楽しもう！

左方の舞「左舞」

左方の舞を左舞といい、赤系統の装束を身につける。左舞は原則として管楽器のメロディに合わせて舞う。左足を基準に、進んだり後退したりする。赤系統の装束が多い。

平舞 ▶29ページ

代表曲は「萬歳楽」や「春庭花（春庭楽）」。「萬歳楽」は、鳳凰をあらわした舞で、中国では、すばらしい王が出現したときに、鳳凰がとんできて「賢王万歳」とさえずる、といわれている。

走舞 ▶29ページ

代表曲は「陵王」「散手」など。「散手」は舞台の上を左右にかけ抜け、鉾を振りまわし、強敵をたおす勇壮な戦いの様子をあらわしている。金と赤を多く使った裲襠装束を着る。

武舞 ▶29ページ

代表曲は「太平楽」。中国の武将、項羽と劉邦が会った鴻門の会で舞われた剣舞がもとといわれている。舞人は舞楽の装束でもっとも豪華といわれる甲冑装束を着る。近年は天皇の即位の礼として、「萬歳楽」と合わせて、武舞の代表として舞われる。

童舞 ▶29ページ

「迦陵頻」が代表曲。音楽の女神・妙音天が、極楽浄土で仏を供養する鳥の迦陵頻伽が舞うのを見て曲をつくった、といわれている。赤系統の袍を着る。袍には迦陵頻伽の模様が刺繍され、背中に羽、足にすねあてのような長足をつける。銅拍子という小さなシンバルを持ち、打って舞う。

左方で使われる楽器

鞨鼓 ▶12ページ　**太鼓** ▶14ページ　**鉦鼓** ▶16ページ　**笙** ▶22ページ　**篳篥** ▶24ページ　**笛** ▶26ページ

舞楽

青系統の装束で舞う
右方

右方の音楽は、おもに朝鮮半島から伝わった高麗楽が演奏されます。高麗楽とは、朝鮮半島にあった高麗、百済、新羅、そして、中国東北地方東部にあった渤海の舞楽を、9世紀ごろにまとめた音楽です。

右舞の代表曲「納曽利」

右方の代表的な舞楽で走舞。2人で舞う「二人舞」で、雌雄の龍が湖上で舞い遊びたわむれるさまをあらわす。面をつけた2人が対象的に、ならんだり向かい合ったり背中合わせになったりして、バチを持って舞う。

納曽利の装束

面

暗い青色で、頭、まゆ、あごには茶色の馬毛をつける。

裲襠

織物の中央にあなをあけ、頭から首をとおしてかぶる。丸の中に鳥の模様が描かれた刺繍が前と後ろに2つずつある。

差貫

袴のような装束で、裾にひもがとおしてあり、足首で結ぶ。

袍

裲襠の下に着る。裾が長く後ろにひくようになっている。山吹色で、「陵王」▶30ページ と同じ紋が刺繍されている。

右方の舞「右舞」

右方の舞を右舞といい、青系統の装束を身につける。右舞の多くは打楽器の「テンテン」というリズムに合わせて舞う。木の枝をポキポキ折るように舞い、右足を基準に進んだり、後退したりする。舞の振り、手の高さは左舞よりもやや低い。

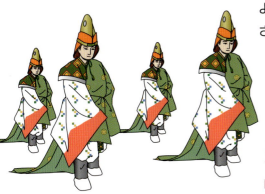

平舞
▶29ページ

「延喜楽」が代表曲。「延喜楽」は平安時代の延喜年間に日本人がつくった曲。左方の平舞に対し、右方の平舞が少ないことからつくられた。「萬歳楽」とともに祝いのときに舞われる。

走舞
▶29ページ

代表曲に「納曽利」や「貴徳」がある。「貴徳」は、現モンゴル、匈奴の勇猛な武将の様子をあらわした「一人舞」。手にした鉾を大きく振りまわして、四方をつく。頭にはオウムをかたどったようなかぶとをかぶる。

武舞
▶29ページ

代表曲の「陪臚」は武人の出陣を思わせる勇壮な舞。「陪臚」は唐楽で、右舞の舞楽に分類されている。舞人は鉾、太刀、楯を持って舞う。装束は、平安時代に朝廷の護衛をしていた近衛の武官が乗馬するときの服装といわれている。

童舞
▶29ページ

代表曲の「胡蝶」は、昔から寺院の儀式である法要で舞われた。中国の胡の国の蝶々が楽しそうに遊ぶ様子をあらわしている。背中には羽をつけ、頭には山吹の花をさしたかぶりもの（天冠）をつけ、右手に山吹の花の枝を持って舞う。

右方で使われる楽器

三ノ鼓　高麗楽で使われる締太鼓。右手で打つ。

太鼓　▶14ページ

鉦鼓　▶16ページ

篳篥　▶24ページ

高麗笛　管絃の笛とはことなる、あなが6つの横笛。高麗楽、東遊に使われる。

どうしてあるの？
左と右

平安時代になると朝廷のさまざまな行事で舞楽がおこなわれました。近衛府は、朝廷を警護する組織で、舞楽にもたずさわっていました。平安時代の初期に近衛府が左と右に分かれると、舞楽もそれにともない、左と右の舞に分かれたといわれています。

左と右で組になる舞

左と右に分かれた舞楽は、左と右でにたような演目を1組とするようになった。こうした組になる舞を「番舞」とよぶ。たとえば、「陵王」と「納曽利」、「萬歳楽」と「延喜楽」、「賀殿」と「長保楽」、「散手」と「貴徳」、「迦陵頻」と「胡蝶」などが番舞とされる。平安時代、近衛府の役人が武芸を競うさい、競馬や相撲、弓を射る勝負の賭弓などをおこなった。そこで勝ったほうが舞楽を演奏することができ、左が勝つと左方の「陵王」、右が勝つと右方の「納曽利」などが演じられた。

左と右がもつ意味

舞楽は古代中国の「陰陽思想」という考えが大きく影響している。陰陽思想とは、左を陽、右を陰として互いに反する陰と陽からすべてのものが生まれるという考え。どんなものにも陰と陽があるとされ、左舞と右舞の装束のちがいや、舞台後ろにおかれる大太鼓の模様のちがいに陰陽思想の影響が見られる。

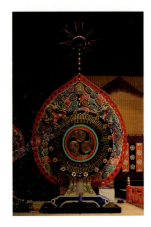

客席から見て左におかれる大太鼓は、鼓面の模様が三巴で、上部の火焔かざりは昇龍、竿の先は日輪（太陽）。

客席から見て右におかれる大太鼓は、鼓面の模様が二巴、火焔かざりは鳳凰、竿の先は月輪（月）。

千田兼宏　撮影

文学に登場する雅楽

雅楽は宮廷の音楽や舞です。宮廷につかえる女官たちや宮廷で雅楽を見た人たちは、その当時のことを書きとめていました。残された書物を見ると、平安時代にはとても雅楽がさかんだった様子がわかります。

さみしい『平家物語』

平家一門の繁栄から滅亡までを描いた物語。平家の武士が琵琶をひく様子が描かれている。巻第10では、源氏にとらえられた平重衡が、琵琶をひき、漢詩を朗詠し、七五調の歌物「今様」も歌ったと書かれている。

作者の気持ちがあらわれた『枕草子』

清少納言の有名な随筆集『枕草子』にも雅楽のことが書かれていて、楽器について清少納言がどう感じていたかがわかる。「笛は、横笛、いみじうをかし（笛は横笛がとてもよい）」「笙の笛は、月のあかきに、車などにて聞きえたる、いとをかし（笙は月の明るいときに車の中で聞くと、とてもよい）」「篳篥は、いとかしがましく（篳篥はとてもうるさくて）、……」など記されている。

華やかな『源氏物語』

紫式部が書いた『源氏物語』には、平安時代、雅楽がさかんだった様子が描かれている。第7帖「紅葉賀」には主人公の光源氏が帝（天皇）の前で「青海波」を舞う姿が記されている。また、第5帖「若紫」では、光源氏らが管絃を楽しむ様子が描かれている。

『源氏物語絵巻　若紫』（天理大学図書館所蔵）

雅楽を楽しもう！

歌物ってどんなもの？

歌物とは歌の旋律に楽器の伴奏をくわえたものです。雅楽がさかんだった平安時代に、日本各地から都へおとずれた人たちが歌う歌などから「催馬楽」が、天皇や貴族が親しんだ漢詩から「朗詠」がつくられました。

民謡から発展した「催馬楽」

日本各地の民謡や、生活習慣や人のみなりなどを歌った風俗歌を雅楽風につくったもの。日本語の文章で書かれていて親しみやすい。さかんだったころには60曲以上あったが、伝承され残った曲は6曲のみ。琵琶、箏、笙、篳篥、笛の演奏をつけ、笏拍子という楽器で拍子をとる。

曲名 ●伊勢海 ●更衣 ●安名尊
　　　 ●山城 ●席田 ●蓑山

すぐれた詩「朗詠」

漢詩にメロディをつけて歌う。平安時代、貴族たちは漢詩文を作文の手本としていて、すぐれた漢詩に節をつけて朗詠にした。漢詩は中国のものだけでなく、日本人がつくったものもある。平安時代、藤原公任が選んでつくった『和漢朗詠集』は朗詠で歌う歌詞にピッタリな漢詩がおさめられている。演奏は、笙、篳篥、笛だけで絃楽器は使わない。

曲名 ●嘉辰 ●二星 …など

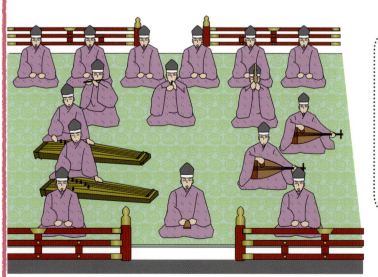

歌物の演奏で使われる楽器を「付物」とよぶ。

笏拍子は、笏を2つにわったような形をしているのじゃ。左側を立てて、右側を横にして打ちつけて、音を出すのじゃ。

笏拍子

国風歌舞ってどんなもの？

国風歌舞は日本古来の歌や舞がもとになる歌舞です。朝廷の行事や神事に欠かせないものとして伝えられてきました。「御神楽」「東遊」「久米歌(久米舞)」「大歌(五節舞)」「倭歌(倭舞)」などたくさんあります。歌が中心で、伴奏に、管絃や舞楽で使う笛、篳篥、そして、管絃とはことなる楽器である、絃が6本の和琴という琴、あなが6つの横笛の神楽笛などがつきます。

東遊

東遊は祭礼に演奏される代表的な歌舞。京の都より東の地方の風俗の歌舞をとりいれてつくられた。親しみやすいメロディで、4人または6人で舞う。笏拍子、和琴、高麗笛、篳篥の楽器と歌で演奏される。『源氏物語』の中には、「ことごとしき高麗・唐土の楽よりも、東遊の耳なれたるは、なつかしく、おもしろく……」とあり、外国から伝わった音楽より日本古来の音楽のよさが書かれている。

大歌（五節舞）

天皇の即位のときに舞われる女性の舞。雅楽ではただひとつの女舞。5人の女性が、十二単の装束を着て、髪は平安時代の貴族女性がしていた「おすべらかし」という髪型にする。歌に和琴、篳篥、笛、笏拍子の伴奏がつく。

和琴は琴軋というへら状のもので絃をはじくのじゃ。

神楽笛は、雅楽で使う笛の中で一番長いのじゃよ。

雅楽の音はドレミファソラシドではない⁉

雅楽は日本の音楽なので、西洋の音楽で使われるドレミとはことなる音名を使います。平安時代、貴族たちは大陸から伝わった音楽をもとに音名も中国式から日本式に変化させました。そうしてできた音律や調子が今も受け継がれています。

ドレミファソラシドの日本版・十二律

1オクターブを構成する12音を十二律という。西洋のドレミのようにそれぞれに名前があり、壱越、断金、平調、勝絶、下無、双調、鳧鐘、黄鐘、鸞鏡、盤渉、神仙、上無という。雅楽は、古代中国の「三分損益法」という方法で音が決められた。これは、長さ約27センチの竹の管でできた律管をふいた音を標準音(中国では「黄鐘」とよばれる)と定め、3分の1の長さずつ長くしたり、短くしたりして出した音。この音と考え方をもとに日本の十二律もできている。

昔、音を確認するために使われていた調子笛。

鈴木治夫 所有

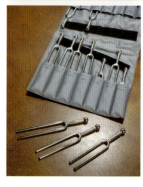

現在は、音の確認にはより正確にわかる音叉が使われている。

壱越／断金／平調／勝絶／下無／双調／鳧鐘／黄鐘／鸞鏡／盤渉／神仙／上無／壱越

十二律とドレミファソラシドはにているけど、雅楽の音のほうが少し低く、暗く聞こえるんだ。

メロディの型や節を決める六調子

調子とは、音階のならびや節のめぐり方などのこと。唐楽で使われ、今も残っている調子は6種類あり、これを六調子という。調子は、それぞれ基準となる音・主音があり、おもに主音となる十二律の名前に「調」をつけて調子の名前がつけられている。六調子は、音階のちがいで「呂」と「律」に分けられ、呂の曲は明るく、律の曲は暗く聞こえる。陰陽思想とも結びついていて、呂は陽、律は陰といわれている。

調子	主音と呂律
壱越調	主音は壱越で、呂律は呂
平調	主音は平調で、呂律は律
双調	主音は双調で、呂律は呂
黄鐘調	主音は黄鐘で、呂律は律
盤渉調	主音は盤渉で、呂律は律
太食調	主音は平調で、呂律は呂 平調と同じ主音だが、呂律がことなる

雅楽のリズム・拍子

雅楽のリズム・拍子は、テンポのはやい「早楽」と、遅い「延楽」がある。早楽は1小節が4拍、延楽は1小節が8拍で構成される。さらに、「八拍子」「四拍子」などへ細かく分けられ、「延八拍子」「延四拍子」「早八拍子」「早四拍子」などがある。また、ことなる拍子を組み合わせる複合拍子として「只拍子」「八多良拍子」などがある。こうした拍子であらわされる曲ははっきりした拍があるものだが、はっきりした拍がなく自由な緩急で演奏される曲もある。管絃の最初におこなわれる音取などにははっきりとした拍がない。

コラム2　雅楽から生まれた言葉

打ち合わせ
物事がうまくいくように、前もって相談すること。昔、天王寺（大阪）と南都（奈良）の楽人が京都へ集められたときに、演奏方法のちがいを調整するために集まり、打楽器の約束ごとをとりつけたことからできた言葉。

二の句がつげない
次に言う言葉が出ない、という意味。「朗詠」は一の句、二の句、三の句があり、音の高い二の句の音がとりにくいことから言われるようになった。

千秋楽
芝居の舞台や相撲などの最後の日のこと。雅楽曲の名前がもとになっている。雅楽の演奏会・舞楽法会の最後にこの曲を演奏したことから、一般でも使われるようになった。

やたら
むやみ、めちゃくちゃ、と同じような意味で、根拠や節度がないさま。雅楽の拍子で、2拍子と3拍子がまざった八多良拍子という拍子があり、演奏が難しくバラバラになってしまうことから使われるようになった言葉。

雅楽の歴史

　5世紀から9世紀にかけて、日本には中国大陸や朝鮮半島から音楽や舞が伝わってきました。雅楽はこれらの舞楽をもとに日本で発展し、平安時代に集大成したものです。雅楽は東アジアの文化と歴史なのです。

大陸で生まれた雅楽

　古代中国では、紀元前の数千年前から「骨笛」という楽器を奏でていた、といわれています。紀元前5世紀にはたくさんの楽器が発達しました。遺跡からは、十二律をそなえた編鐘や笙などが発掘されています。春秋時代（紀元前6世紀ごろ）の儒学者の孔子は「鄭声の雅楽を乱るを悪む」と書いています。その当時に流行していた鄭の国の音楽が正当な音楽である雅楽を圧倒しているのはよくないとしているのです。

シルクロードから日本へ

　中国の漢の時代にシルクロードとよばれる道がありました。この道をとおってさまざまな国の文化が中国にやってきました。中国にもともとあった音楽と、インドやペルシャの音楽がまざり高度な音楽の考え方が生まれ、さまざまな楽器がつくられ合奏音楽が発展します。8世紀、唐の時代、中国の音楽は最盛期で、日本は奈良時代でした。日本から中国に行った遣隋使や遣唐使が中国の楽舞をもち帰り、雅楽が日本に伝わりました。そして、朝鮮半島からは、三国（高句麗・新羅・百済）の楽舞（三国楽）が伝わりました。

日本に根づいた雅楽

　日本に三国楽(朝鮮半島からの楽舞)、唐楽(中国の唐の時代の楽舞)、林邑楽(現在のベトナムあたりにあった国の楽舞)、度羅楽(度羅の場所は不明)、渤海楽(現在の中国東北地方東部あたりの楽舞)などが次々に伝えられます。大宝元年(701年)に「大宝令」という国家的な法律がだされ、「雅楽寮」という楽舞をつかさどる公的な機関がつくられました。ここで、三国楽や日本古来の歌舞、唐楽、林邑楽などが伝承され、国家の正式な行事で演奏されるようになりました。

王朝文化と雅楽

　平安時代になると、日本人によって新曲もつくられるようになります。三国楽は平安時代の中期になると高麗楽としてさらに発展し、この時代に雅楽の演奏形態が確立します。天皇が上皇や皇太后のもとへでかける朝覲行幸、天皇や上皇の長寿を祝う御賀など朝廷の貴族の生活に密着した行事に舞楽がおこなわれるようになりました。このころから大陸系の舞楽を左舞、朝鮮半島系の舞楽を右舞と分けるようになったのです。

　雅楽は宮廷の貴族の生活に深くゆきわたり、多くの貴族たちは自分たちで楽器を演奏して楽しみました。琵琶と箏は王朝文化の中でもっとも愛された楽器です。「琵琶合」という琵琶の音色を競い合う記録が残っています。清少納言の『枕草子』にも琵琶の名器の話が出てきます。また、漢詩も貴族の大切な教養のひとつで、漢詩をもとにした朗詠は宮廷歌謡としてさかんでした。11世紀には、藤原公任が朗詠に合った漢詩などを『和漢朗詠集』という書物にまとめています。

平安初期のころの雅楽の様子がわかる。平安中期ごろから使われなくなった楽器が描かれている。

信西古楽図(東京藝術大学大学美術館所蔵)

源博雅や貞保親王など、管絃のじょうずな公家が描かれている。

管絃絵巻抄(宮内庁蔵)

平氏と源氏

　平安時代の中期、雅楽の中心的な機関は、雅楽寮から天皇の住む内裏におかれた楽所へ移り、その後、楽所はお寺にもおかれるようになりました。そして、平安時代の後期、雅楽は子孫が代々受け継いでいく世襲制になり、「楽家」という雅楽の家が生まれます。また、武士である平氏が力をもち、政治などに関わるようになると、公家の文化が武士にも広がります。平氏の武将・平清盛は雅楽に親しみ、広島県にある厳島神社に都の舞楽を伝えました。平家を滅ぼした源氏も雅楽に親しんでいます。源頼朝は神奈川県にある鶴岡八幡宮に楽所を設け、雅楽を鎌倉にとりいれました。こうして、貴族の文化であった雅楽が地方へと広がっていったのです。しかし15世紀におこった応仁の乱という長い戦いの中で雅楽は急速に衰えていきます。

戦国大名に愛された雅楽

　桃山時代、応仁の乱で衰退した雅楽を復興させようと、当時の天皇が天王寺(大阪)と南都(奈良)の楽人を京都へ集めました。そして、京都で天王寺、南都、京都の楽所が合同で雅楽を演奏する「三方楽所」という伝統が生まれます。当時、力をもっていた大名の織田信長や豊臣秀吉は雅楽を援助します。江戸時代になると徳川家が雅楽を保護し、楽人を優遇します。幕末の慶応年間まで雅楽への積極的な貢献は続きます。江戸時代、大名から一部の知識の高い人たちまで雅楽は広がっていきました。

「陵王」の装束である袍の刺繍や、舞台の幕(楽所幕) ▶7ページ にある文様は、織田家の家紋といわれている。

東京へ、そして民間へ

　明治維新から明治に年号がかわり、雅楽の世界も大きく変化します。三方楽所が首都・東京の雅楽局という公的機関にひとつにまとめられます。そして、楽家だけが雅楽を継承していましたが、雅楽や神楽を習うことは一般にも認められるようになります。海外でも公演がおこなわれ、歴史と芸術性が認められ、2009(平成21)年、ユネスコの世界無形文化遺産に登録されました。現在では国の機関として宮内庁式部職楽部が雅楽の後継者の育成をおこなっています。一般の人も学び、楽しめる音楽になったのです。

乃木神社管絃祭

雅楽が見られる場所

雅楽は東京の国立劇場や、日本各地の神社やお寺などで演奏されています。代表的な雅楽の演奏をおこなっている場所を紹介します。ここで紹介する場所以外にもおこなわれていますので、インターネットなどで調べて見に行ってみましょう。

宮内庁式部職楽部
東京都千代田区にある宮内庁式部職楽部では、宮中の行事で雅楽の演奏・演舞を担当している。秋におこなわれる演奏会では、一般の人も鑑賞できる。

明治神宮
東京都渋谷区にある明治神宮は明治天皇と昭憲皇太后をまつっている。春と秋の例大祭には拝殿前の石畳の上に高舞台が組まれ、雅楽が奉納される。

鶴岡八幡宮
神奈川県鎌倉市にある神社。鎌倉に幕府を開いた源氏は雅楽を大切にしていた。毎年、5月5日の菖蒲祭には雅楽が盛大に演奏される。

写真提供：宮内庁

熱田神宮
愛知県名古屋市にある、由緒ある神社。1月の踏歌神事と5月の舞楽神事は一般の人も見られる。

伊勢神宮
三重県伊勢市にある、天照大御神と豊受大御神がまつられている神社。春と秋の神楽祭で雅楽が見られる。

賀茂別雷神社
京都府京都市にある神社で上賀茂神社ともいう。5月の例大祭の賀茂祭（通称・葵祭）では東遊が奉納される。

石清水八幡宮
京都府八幡市にある神社。ここは雅楽寮の楽人にとって重要な儀式の場だった。4月の御鎮座祭では舞楽奉納がされる。

春日大社
奈良県奈良市にある神社。雅楽鑑賞の場を全国の社寺の中でもっとも多く提供している。1月の舞楽始式、2月の節分万燈籠、3月の春日祭、5月の菖蒲祭、8月の中元万燈籠、9月の長寿祭、11月の文化の日萬葉雅楽会、12月の春日若宮おん祭など多数ある。

四天王寺
大阪府大阪市にある、聖徳太子によって建てられた仏教寺院。雅楽奉納だけでなく、雅楽の重要な装束や楽器を保存している。4月の聖霊会舞楽大法要、8月の篝の舞楽、10月の経供養で雅楽が見られる。

厳島神社
広島県廿日市市にある神社。雅楽を好んだ平清盛が社殿を造営した。ここでの雅楽は海を背景にした高舞台でおこなわれる。4月の桃花祭、旧暦6月の管絃祭など、神社の祭礼で雅楽が多く上演されている。

写真提供：奈良市観光協会

楽師になるには

雅楽の世界には、楽家といって雅楽を父から子へ伝える世襲制度がありました。明治時代から、雅楽は民間にも門戸が開かれるようになり、今では雅楽に興味をもった人は、雅楽を演奏し、舞えるようになりました。どのような練習をおこなうのか見てみましょう。

歌っておぼえる楽器

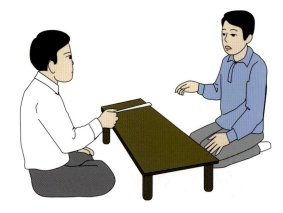

雅楽のはじめの練習は、唱歌といわれる、手で拍子をとりながら曲のメロディを歌うことによっておこなわれる。楽家に生まれた男子は小さいときから、父に唱歌を教えられる。譜面はなく、父が張り扇で机をたたきながら歌う唱歌をくりかえしておぼえる。この唱歌のやり方で、たくさんの曲をおぼえる。

篳篥の唱歌
篳篥は「チラロル」など、音をまねた言葉で歌う。メインのメロディを担当しているので、演奏のメロディをそのまま歌う。笛と笙は、篳篥の唱歌をもとにしてつくられた唱歌を歌う。

鞨鼓の唱歌
鞨鼓の音を「度呂度呂」と言いながら唱歌を歌う。

太鼓
太鼓の音を「図・百」と言いながら唱歌を歌う。

鉦鼓
鉦鼓の音を「久・礼」と言いながら唱歌を歌う。

現在でも雅楽を学ぶときは唱歌から入る。ある程度の練習期間をへて、師匠が唱歌の段階を卒業したと認めると、今度は実際に楽器で練習する。

初舞台までの道のり

管楽器の笙、篳篥、笛の中から1つ選び練習する。ひとおり進むと舞になる。左舞か右舞かのどちらかを選び練習する。次に絃楽器の琵琶か箏を選び練習する。そして打楽器の鞨鼓、太鼓、鉦鼓のすべてを練習する。このように、楽器や舞を長い期間、練習してからやっと初舞台がふめるようになる。

神社や地域の雅楽会、カルチャーセンターなど、雅楽を習える場所はいろいろあるぞよ。

民謡を楽しもう！

民謡ってどんな音楽?

民謡は人々のくらしから生まれた歌です。その土地の言葉の上がり下がりや言いまわし、独特な発音もとりいれて、みんなが楽しんで歌ってきました。人がいるすべての場所に民謡はあります。

仕事をするときに歌われてきた日本の民謡は、外国の人がおどろくほどたくさんあるんだよ。

仕事の歌 ▶48ページ

民謡は、農作業、林業、漁業などの仕事の中で、みんなでおこなう動きをそろえたり、かんたんで変化の少ない仕事で眠くならないように自分をはげましたり、家族を思って仕事のつかれをいやしたりするときに歌われた。

おどりの歌 ▶54ページ

歌いおどることは人々の楽しみだった。また、祖先を供養する目的でも歌いおどられた。大勢の人といっしょにおどることで親交が深まり、おどりの場は男女の出会いの場にもなっていた。

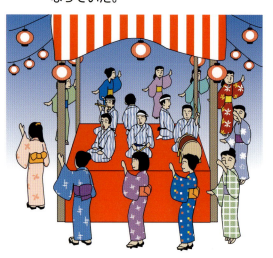

祭りや祝いの歌 ▶58ページ

穀物が豊かに実ることを祈る豊穣祈願、病気にかからず元気にすごせることを祈る無病息災、災いがこないようにと祈る厄除けの行事、正月や節句などで祈りをこめて民謡を歌い、その歌が祭りや祝いで歌われるようになった。

民謡を楽しもう！

楽しむための歌、語り物、祝福芸の歌
▶62ページ

テレビのなかった時代、専門の歌い手が家に招かれると、地域の人たちも集まってきた。はやっている歌や物語を、三味線の伴奏などとともに歌ってもらうことは、みんなの楽しみだった。八木節や瞽女歌は三味線とともに、また萬歳は小鼓を打ちながら、各地の家々を訪ねてはおもしろい物語を語ったり、その家の繁栄を祝ったりした。

子守歌、わらべ歌
▶66ページ

子守歌は、子守の仕事をする女の子が歌った歌。子どものときから仕事をするのが当たり前だった時代、仕事をしながら気持ちを歌にのせることは、子どもたちのいやしになった。わらべ歌は、子どもたちが遊びの中で歌う歌。

アイヌの歌
▶68ページ

アイヌは北海道や樺太（サハリン）などに古くから住んでいた民族で、独自の言語や文化を伝えている。自然の恵みに感謝しながら生活してきたアイヌの歌には自然の中の神様をたたえる歌が多い。女性たちが輪になったり列をつくったりして唱えるように歌い、ときには太鼓などを打ちながら歌う。楽器もムックリ▶68ページのような独自のものがある。

新しい民謡
▶69ページ

昭和のはじめから、全国の観光地などで地域の宣伝のためにつくられた民謡を「新民謡」という。多くの民謡は古い時代から伝わったもので作詞者、作曲者は不明だが、新民謡ははっきりしている。おどりがつく民謡もある。1964（昭和39）年、東京オリンピックのときに作曲された「東京五輪音頭」は大ヒットした。

仕事の歌ってどんな歌？

　仕事によっていろいろな歌が生まれました。時計がない時代、働き手は仕事の中で歌を歌って時間をはかり、動きを合わせ、どこまで仕事ができたか忘れないようにしてきました。歌うことで仕事の時間をはかれたのです。そして、仕事でつかれた体をいたわるために歌は必要不可欠でした。

海や川の仕事の歌

海では、漁師が歌を歌いながら動きのテンポを合わせていた。魚をとるために重い網を引くには、みんなで呼吸を合わせなくてはならず、みんなで歌って動きを合わせた。網にかかった魚を船の上に落とすときにも歌っていた。また、川では、船で客を岸に渡す仕事をしていた船頭が櫓をこぎながら歌を歌った。▶50ページ

山の仕事の歌

山で仕事をするきこりの歌も多くある。木をきるときの歌は「木挽き歌」、木を運ぶときは「木遣り歌」を歌った。長野県の御柱祭では、山から木を落とす直前に祈りをこめて木遣り歌を歌う。

民謡を楽しもう！

田や畑の仕事の歌

米づくりや、お茶の葉をつむ茶つみのときも歌は歌われた。田植えで苗を植えるときは、みんながそろって歌を歌いながら手の動きをそろえた。そして、作業の手順も歌でおぼえていた。つかれたときは、もうひとがんばりするため歌を歌っておたがいにはげましあった。▶51ページ

交通運搬の仕事の歌

昔は、車や電車がなく、遠くに移動するには馬を使った。こうした馬を引く仕事をしている人を「馬子」という。馬子は、馬に人や荷物を乗せて運んだ。馬を引きながら山中を移動するとき、夜にはさびしさをまぎらわせるため、また馬の気持ちをしずめるために、馬子は歌っていた。▶52ページ

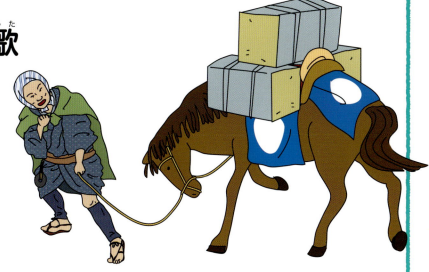

そのほかの仕事の歌

酒づくり、和紙をつくる紙すき、みそづくり、織物の仕事など、手や体をとても使う仕事では、歌で動きのはやさやリズムを整えたり、歌を歌って心身をリラックスさせる必要があった。仕事の歌は、体の動きに合わせて歌われるので、ときには拍子が伸びたり、特定の拍を強く歌ったりと、独特な歌になっている。▶53ページ

仕事の歌

漁師が大漁を祝って歌った
斎太郎節

海や川の仕事の歌
宮城県

松島の　サーヨー
瑞巌寺ほどの　寺もない　トーエー
アレワエーエ　エトソーリャ　大漁だーエー

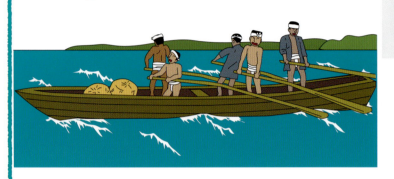

Q 漁師の櫓こぎ歌がはじまり

「斎太郎節」は海の男の豪快な歌。もともとは、江戸時代の銭座（昔のお金・銭をつくる場所）で、足でふんで空気を送る大きな箱（蹈鞴）をふむときの作業歌だったものが、宮城県では船の櫓をこぐときの歌にかわった。カツオやマグロをたくさんとって港にかえってくるとき、櫓をこぐ漁師がよろこびにあふれて歌った。強弱がはっきりした力強い拍子が特徴。

Q 「大漁唄い込み」で有名に

宮城県の民謡に「大漁唄い込み」という歌がある。これは、1925（大正14）年ごろ、後藤桃水が「ドヤ節」「斎太郎節」「遠島甚句」の3曲を組歌としてまとめたもので、この組歌が全国的に有名になり、斎太郎節が広く知られるようになった。

宮城県は東北地方の中心地のひとつじゃ。太平洋に面していて、昔から漁業がさかんで、気仙沼、石巻などの漁港が有名じゃ。日本は海にかこまれた島国だから、全国にいろいろな海の仕事の歌があるぞ。

斎太郎節は、昔、斎太郎という漁師が美しい声で歌がじょうずだったことから名づけられた、といわれているんだ。

民謡を楽しもう！

仕事の歌

今では華やかな田植え行事
田植歌

田や畑の仕事の歌
広島県

> イエーイ　新玉の　ヤーハレネィ
> 年若水に種浸して　ヤーハレネィ
> 種浸して　ヤーハレ　ア　種浸して　ヤーハレナ
> 蒔こうや今朝の朝霧に

中国地方では、昔から太鼓をたたき、笛をふいて、田植歌を歌いながら大勢で田植えをする習慣があったんじゃ。この行事は声や楽器でにぎやかに囃しながら田植えをするので「囃し田」ともよばれておるんじゃよ。

Q 田植えの仕事で歌われた歌

田植え仕事をするときに歌う歌を「田植歌」という。数多くの田植歌の中には「唄を謡えば楽しげに見よが、楽じゃござらぬ苦のあまり」というものもあり、田植歌は苦しい仕事のときのなぐさめにもなり、農村の数少ない楽しみでもあった。

Q 早乙女が歌い苗を植える 壬生の花田植

広島県の北広島町では、毎年6月の第1日曜日に壬生の花田植という行事がおこなわれている。昔、この地方では、苗の植え終わりに、盛大に「囃し田」をおこなう地主がいて、近くにある町や村で有名になったのが、この祭りのもとになった。田植歌の音頭をとる人を「サンバイ（三拝、田神）」とよぶ。サンバイが長さ50センチほどの竹の先をさいた「サンバイ竹」とよばれる打楽器を打ち鳴らしながら、田植えの指揮もとる。サンバイの音頭に合わせて、田植えをする少女（早乙女）たちも歌い、田楽団が太鼓や笛、鉦で囃す。早乙女はかすりの着物にたすきがけ、菅笠をかぶって稲の苗を植えていく。この様子が華やかなことから花田植とよばれるようになった。壬生の花田植はユネスコの世界無形文化遺産に登録されている。

※囃す……手をたたいたり、囃子詞を言って、歌や舞の調子をとったり、楽器を演奏して盛り立てること。▶74ページ

仕事の歌

急な山道を歌って越えた
箱根馬子唄

交通運搬の仕事の歌
神奈川県

> 箱根八里は　馬でも越すが
> 越すに越されぬ　大井川　〜♪

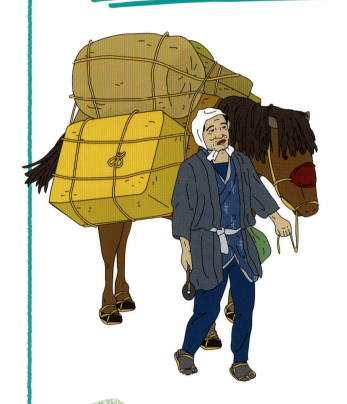

箱根は神奈川県の西部にある山岳地帯。「箱根八里」という歌で「箱根の山は天下の険」と歌われているが、険とは山の傾斜が急なことで、この箱根の山を越えるのはたいへんなことだったんじゃ。

馬で客や荷物を運ぶときの歌

馬子とは、人や荷物を乗せて馬を引く職業の人のこと。馬子が歌った歌を「馬子歌」という。「箱根馬子唄」は、馬子が箱根の山を上り下りするときに歌った歌。馬を引きながら1人で自由自在に節を伸ばしたり縮めたりして歌う。歌いはじめに歌詞のおもな言葉を言って、あとは引き伸ばしたりゆらしたりするような歌い方が特徴で、1人で歌う仕事の歌の代表的な歌い方。客や荷物を乗せるときだけでなく、1人で帰るときや、夜道を行くときなどにも大声で歌った。「追分（追分節）」▶70ページ のもとにもなっている。

昔は、車や電車がないから馬や駕籠に乗ってたのね。

酒づくりの仕上げに歌う
酒屋歌（さんころ）

そのほかの仕事の歌
新潟県

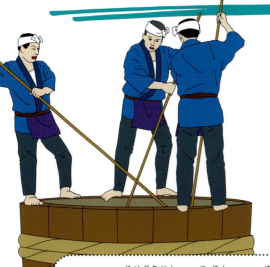

揃た　揃いました　ノーヤ
ハァ　一ころ　二ころ　四ころに足りない
三ころ突きゃ　揃た
中の二三本が　ノーヤ
よく揃た

　新潟県は日本でも有数の米どころで、酒づくりでも有名じゃ。男たちの多くは、冬の間、北海道や関東、中部へと仕事に出かけていった。その中に、酒づくりの技術をもった杜氏をはじめとする蔵人たちがいて、酒づくり歌が広まったんじゃ。

歌が酒づくりの必須条件

　酒づくりの工程では「唄半給金」といって、給料の半分は歌を歌うことに出しているといわれ、歌うことが必須の条件だった。作業の動作を合わせるために歌い、作業時間をはかるために歌い、水や米の量をはかるためにも、数え歌を歌いながら記憶したためだ。蔵の所有者は、蔵人たちの歌う声を聞いて、仕事の様子を判断したという。
　「さんころ」は工程の終わりごろに歌われる拍子のはっきりした歌で、作業を終えて故郷に帰るよろこびをはずむようなリズムで表現している。酒づくり歌は、人に聞かせるためではなく、たいへんな作業の中で自分をはげますために歌ったから、家族も聞いたことのない蔵人だけが歌う仕事の歌だった。

酒蔵の軒先にかざられる杉玉。新酒をつくっていることを知らせる。杉の葉でつくられ、最初は美しい緑色をしているが春には茶色になる。お酒が熟していくことを伝えた。

おどりの歌ってどんな歌?

　民謡では、歌う人が足で調子をとったり、手拍子をしたり、また楽器を演奏しながらおどったりすることがあります。おどりの歌の代表的なものは盆おどりで歌われる歌です。

念仏おどりの歌

　念仏おどりは、平安時代に天台宗の空也上人がはじめたとされ、鎌倉時代の一遍上人のおどり念仏の流行とともに、全国各地に広まった。お盆や仏教行事のときに、「南無阿弥陀仏」など念仏を唱えながら鉦や太鼓を打ち鳴らしておどる。現在、沖縄でおこなわれている「エイサー」も、歌舞伎のもとになった出雲のお国のおどりも、念仏おどりがもとになっているとされている。

盆おどりの歌

　盆おどりの起源は念仏おどりだといわれている。旧暦8月の盆の行事で、精霊をむかえ、死者を供養するために地域の人々によっておどられた。全国各地の盆おどりで歌われる歌から、たくさんの民謡が生まれている。秋田県の「西馬音内盆踊り」、富山県の「おわら風の盆」、岐阜県の「郡上おどり」、徳島県の「阿波おどり」など、各地に独自の有名な盆おどりがある。盆おどりの基本的な形は、まん中に櫓を組んで、周囲をおどり手がかこむ。櫓の上で盆おどり歌が歌われ、太鼓や鉦で囃し、三味線が入ることもある。歌詞は昔からのものだったりその場でつくったものだったりと自由。おどる人たちが囃子詞を言って楽しむおどりもある。 ▶55,56ページ

※囃す……手をたたいたり、囃子詞を言って、歌や舞の調子をとったり、楽器を演奏して盛り立てること。 ▶74ページ

おどりの歌

酒樽をたたいて歌う
八木節

盆おどりの歌
栃木県、群馬県

ハアー　又も出ました　三角野郎が
四角四面の櫓の上で　音頭取るとは恐れながら
文句違いや　調子の狂い
さらりさらりと　お許しなされ
許しなされば　文句に掛かるが
オオイサネー

源太さんが広めた八木節

八木節は18世紀の江戸でも大流行したが、明治時代になってまた広まった。明治時代の歌い手の渡辺源太郎は足利郡堀込の出身で堀込源太ともよばれた。源太は荷馬車を引く馬方をしていて声もよく、馬方節の歌いだし「ハアー」を加えるなどの改良をして現在の八木節を完成させた。大正時代につくられた源太が歌ったレコードがとても売れ、ラジオ放送もされて全国に広がった。

八木節は栃木県と群馬県に伝わる民謡。八木とは現在の足利市にある地名。この八木でおこなわれた盆おどりで歌われたのが八木節じゃ。酒樽を2本のバチで打って拍子をとりながら、甲高い声で音頭をとって、鉦、笛、鼓、太鼓で囃し、おどるんじゃ。

八木節を歌っておどる
桐生八木節まつり

桐生八木節まつりは毎年8月の第1金曜日から桐生市の中心部で3日間開催される。初日には、全日本八木節競演大会がおこなわれ、参加者が八木節を歌って競う。そのほか、八木節に合わせた八木節おどりやみこしパレードなどがおこなわれる。

※音頭……もともとは雅楽の言葉で、合奏や歌の最初の部分を演奏する人のこと。民謡でも、木遣り歌のように最初に歌う人を音頭とよぶ。その後、盆おどり歌や、河内音頭のような物語を語る歌の意味にも使われた。　▶70ページ

学生の間で大流行
デカンショ節

盆おどりの歌
兵庫県

丹波篠山　山家の猿が　ヨイヨーイ
花のお江戸で　芝居する
ヨーイ　ヨーイ　デカンショ
デカンショ　デカンショで　半年暮らす
あとの半年　寝て暮らす

「デカンショ」ってなんだろう？

戦前、特に旧制の高校生が酒の席でよく歌ったデカンショ節。「デカンショ」という言葉は、昔あった「三ツ節音頭」という盆おどりの囃子詞「デッコンショ」からとか、「出稼ぎしょ」がなまった、などいろいろな説がある。

「デカンショ節」は明治時代の末期、兵庫県の丹波地方の盆おどり歌が変化したもので、全国の学生たちを中心に大流行したんじゃ。学生たちはおもしろいかえ歌をつくっては楽しんだんじゃよ。

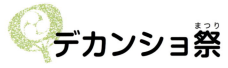デカンショ祭

兵庫県篠山市では毎年8月にデカンショ祭がおこなわれる。大きな木造の櫓のもとで、デカンショ節に合わせて、デカンショおどりをおどる。もともとのデカンショ節は、地元篠山の気候や特産品、地元の人たちの人柄などを歌っていたが、今ではたくさんの時代背景を反映した歌詞がつくられている。篠山市ではデカンショ節を市の無形民俗文化財として継承、発展させている。

学生の間ではやったので、「デカンショ」はデカルト、カント、ショーペンハウアーという哲学者の名前からとった、なんていわれることもあるんだ。

おどりの歌

美しい海岸の名前がついた
谷茶前（たんちゃめ）

おどりの歌
沖縄県

> たんちゃめぬ　はまに
> すするぐゎが　ゆててん　どーえ
> すするぐゎが　ゆててん　どーえ
> たんちゃましまし　でぃあんぐゎそいそい
> でぃあんぐゎやくしく

沖縄でとれる魚が歌詞に

「谷茶前」は伝統的な沖縄のおどり歌で、沖縄本島にある恩納村谷茶のくらしぶりを軽やかに歌いおどる。谷茶前は谷茶という地名の浜のこと。歌詞の「スルル」「ヤマトミジュン」は小魚のことで、「谷茶の浜にスルルがおしよせてきた。いや、あれはヤマトミジュンだ。男たちがとって、女たちが売り歩く」という内容を歌っている。

> 民謡や舞踊、祭りでも沖縄ならではの独特のものがあるんじゃ。盆の時期に数種類の太鼓を打ちながらおどる「エイサー」はよく知られておる。

谷茶前の舞台となった谷茶ビーチは、白い砂浜が続くきれいな海岸。

魚をとる様子と売る様子がおどりに

谷茶前は近代につくられた沖縄の庶民的なおどりである「雑おどり」のひとつ。素足に、沖縄の織物・芭蕉布の着物を着て、男は櫂を持って魚をとり、女はバーキといううざるを頭に乗せて魚を売り歩く様子をおどる。歌はド・ミ・ファ・ソ・シを中心とする琉球音階で歌われ、三線、太鼓、三板で伴奏し、指笛もふいてにぎやかに囃す。

※三線……沖縄県や奄美群島で演奏される三絃の絃楽器。蛇皮がはられ、水牛の角でつくった爪を右手人差し指にはめて演奏する。

> 三板は三枚の板でつくった楽器よ。

祭りや祝いの歌ってどんな歌？

　昔から日本は、1年をとおして祭りや行事がおこなわれ、婚礼や七五三といった祝いごとも多くおこなわれてきました。そうした年中行事のたびに、よろこびを歌にのせて祝ってきたのです。

祭りの歌

昔の日本では神様は身近な存在で、どこの家にも神様がまつられていた。祭りの準備の歌、祭りをふれ歩く歌、祭りをにぎやかに囃す歌など、祭りの歌は数多くある。

行事の歌

日本には四季があり、春夏秋冬、自然界はさまざまな姿をみせてくれる。日本人は1年12か月にいろいろな行事をもうけては生活にうるおいをもたせていた。正月の歌、七草の歌、節句の歌、七夕の歌、蛍狩りの歌、大晦日の歌など、行事ごとに歌が歌われた。

祝いの歌

祝いの歌もたくさんある。出産、誕生、七五三といった祝いの歌、家を新築したときのほめ歌、引っ越しのときの家移り歌など。また仕事に関係する祝い歌もあり、漁業では、新しく船ができたときの新造船祝い歌もある。▶59ページ

祭りや祝いの歌

平家が伝えた
こきりこ節

祝いの歌
富山県

筑子の竹は　七寸五分じゃ
長いは袖の　かなかいじゃ

窓のサンサも　デデレコデン
はれのサンサも　デデレコデン

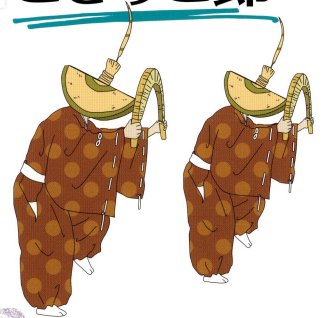

田楽のなごりが今ものこる

こきりこ節は、「田楽」がもとになってできた民謡といわれている。田楽とは、五穀豊穣（穀物が豊かに実ること）を祈り、百姓をねぎらうためにおこなわれた歌やおどりで、田楽法師とよばれる人たちが田植えや稲刈りの間におこなっていた。田楽で使われていた楽器、びんざさら（編木）▶72ページ や太鼓が、こきりこ節の演奏に使われている。お囃子の「デデレコデン」は太鼓の音をあらわしたものと考えられている。

「こきりこ節」は富山県南西部にある五箇山とよばれる地域の民謡で、五穀豊穣を祈った歌じゃ。源氏にほろぼされた平家の落人が逃れて、この地に住みつき、この歌やおどりを伝えたという話が残っておるんじゃ。

おどりながら音を出す
こきりこ竹とびんざさら

現在のこきりこの節の演奏には、太鼓、横笛、こきりこ竹▶72ページ、クワ金（農作業で使うクワを打ち鳴らして楽器としたもの）、すりざさら、小鼓の楽器を使って歌う。こきりこ竹とは長さ七寸五分（約23センチ）の細い竹棒のこと。竹の直径は約8ミリ〜13ミリといろいろある。2本1組で、両手に1本ずつ持ち打ち鳴らす。びんざさらを持っておどる人もいる。五箇山のびんんざさらは、うすい木の板108枚を短冊状にした楽器で、両端を持って板をぶつけあって音を出す。

祭りを盛り上げるお囃子

祭りを盛り上げるために祭り囃子はかかせません。江戸の囃子は、「屋台」「昇殿（聖天）」「鎌倉」「四丁目（四調目）」「屋台」の5曲（切囃子）のくり返しで演奏します。そのほかに「麒麟」「亀井戸」「神田丸」「間波聖天」などの曲もあり、場に応じて加えて演奏します。祭り囃子の楽器は地域によってことなります。関東の囃子では笛、あたり鉦、締太鼓、大太鼓の4種類、北陸や東北地域などでは、あたり鉦のかわりに手平鉦が使われます。

江戸の祭り囃子

祭り囃子で使われる楽器

あたり鉦
真鍮という金属でできた鉦。ひもの部分を左手の小指にかけて、左手の親指と人差指で楽器をささえて、へこんだ面を打つ。バチの頭部は鹿の角製、棒は、昔はクジラのひげだったが、今は竹でつくられている。

手平鉦
小型のシンバル。銅拍子、土拍子、チャッパなど色々な名前がある。青森のねぶた囃子など、東北地方の祭り囃子で演奏される。

大太鼓
宮太鼓、長胴太鼓ともいう。関東の祭り囃子の場合、胴はヒノキかセンの木、革は牛革。革の前に座って、両手にバチを持って打つ。

民謡を楽しもう！

東京の祭り囃子の楽譜例 「四丁目」
春田敏江編

江戸の祭り囃子は笛、締太鼓2つ（2挺）、大太鼓、あたり鉦の5人で演奏するんじゃ。

あたり鉦

チッ チャン チャチャチキ
チ チャチャン チャチャチキ

バチの断面で凹面を打つ。チャン、チャチャは鉦の中央を、チ、チキは左中指、薬指を鉦につけて鉦の側面を打つ。

笛

7	チ
3	ト
5	ヒュ
6	ヒャ
6	ヒャィ
8/7	ヒエ
6	ヒャィ
4	ト
3	ロ

（※の表記・音符省略）

笛の番号は音高と指使いをしめしている。笛譜の×は半音低い音になる。

締太鼓

天 テレ テッ クッ ク 天 ス ケ 天 イヤ
天 テレ テッ クッ ク 天 ス ケ 天 イヤ

大太鼓

ドン ドン ド ドン ド
ドン スドン ガ ドン スッ トン ド ドン

締太鼓と大太鼓のRは右手、Lは左手で打つことをしめす。締太鼓のツクは、長唄や能の囃子ではバチを革にあてるが、祭り囃子は打たない。スは休み。

笛

篠竹でつくられているので、篠笛とよばれる。写真の上が祭り囃子の篠笛、下は昭和40年代以降、ドレミの音を出すために指あなの大きさをかえた笛。篠笛には長さのちがう12種類の笛があり、最低音域を1本（一本調子）、最高音域を12本とよび、笛の頭部に漢数字で示す。指あなの数は7つと6つがある。北陸から東北では指あなが6つで3〜5本、関東は7つで、5〜7本の音域を使うことが多い。

楽しむための歌、語り物、祝福芸の歌ってどんな歌？

人が集まりお酒を飲む宴会に歌はつきものでした。人々は飲んで歌って楽しみました。また、自由に歌っていた歌にメロディがつき、歌詞もある程度きまって、歌に名前がつくようになると、歌やおどりを専門にして生活する芸能人が生まれてきました。

楽しむための歌

仕事が一段落したときの打ち上げやお祝いの席、旅の宿でも酒をくみかわしながら人々は歌い楽しんでいた。江戸時代、多くの人々が行った伊勢参りや金比羅参りは、何日もかかる旅で、その途中の宿ではお酒をくみかわして歌や遊びを楽しんだ。また、めでたいことがあると人々は集まり、その場にふさわしい民謡を歌っていた。▶63, 64ページ

語り物の歌

長い物語を語るとき、声の調子を上げたり下げたりして伝えるところからも歌は生まれた。これらは、メロディを歌うというよりも、物語がわかりやすいように言葉をしっかりと伝え、語るためだった。琵琶を伴奏に『平家物語』を語り、三味線を伴奏に江戸時代の武士や庶民の物語を語り、樽を打ちながら弱いものを助ける任侠の世界を語った。盲目の旅芸人の瞽女は三味線を弾いて「山椒大夫」や「石童丸」の物語を語った。

祝福芸の歌

祝福芸の代表は「萬歳」だ。太夫と才蔵との2人が組になって家々を訪問しては、その家の繁栄を願う言葉を述べ、舞のように動きながら歌う。太夫はめでたい言葉を述べ、才蔵は左手に持った小鼓を打って、太夫の言葉を囃した。地域によっては萬歳に三味線や胡弓 ▶73ページ も使われた。 ▶65ページ

全国に広まった 伊勢音頭

楽しむための歌
三重県

伊勢はナー 津でもつ
津は伊勢でもつ
尾張名古屋は
ヤンレ 城でもつ
ヤートコセーノ ヨーイヤナ
アリャリャ コレワイセ コノヨーイトセー

もとは伊勢神宮の建てかえのときの歌?!

現在の伊勢音頭は別名「ヤートコセー節」ともよばれる、酒の席を楽しむための歌だ。伊勢音頭のもとになったといわれているのは「お木曳唄」で、20年ごとに伊勢神宮の社殿を建てかえるために材木を運びこむ「お木曳」の行事で歌われていたもの。お木曳唄のお囃子「ヤートコセー ヨーイヤナ」と同じお囃子が伊勢音頭にも残っている。

三重県の伊勢神宮は天照大御神と豊受大御神をまつった神聖な土地で、昔から多くの人が参詣したんじゃ。江戸時代には伊勢参りが大流行したぞ。

お伊勢参りの定番曲に

江戸時代に伊勢参りがさかんになると、伊勢神宮の周囲では、河崎や古市という町で茶屋や旅館が繁盛し、伊勢音頭が歌いおどられるようになった。参拝客はこの歌をおぼえて地元に帰り、土地の人に伝え、伊勢音頭は全国の農村で「祝いの歌」の元歌になった。

日本各地に「伊勢音頭」をもとにした歌があるのよ。でも、それぞれの土地で歌はちがっているの。

楽しむための歌、語り物、祝福芸の歌

お座敷遊びで歌って遊ばれる
金毘羅船々

楽しむための歌
香川県

♪
金毘羅船々
追手に帆かけて
シュラシュシュシュ
まわれば四国は
讃州那珂の郡
象頭山金毘羅大権現
一度まわれば

江戸時代に大流行！
金比羅参り

江戸時代、金比羅参りは大流行した。当時、大阪の道頓堀には金比羅参りの世話をする「金比羅宿」ができて、大阪から讃岐（今の香川県）まで金比羅船という定期便がたくさん出ていた。

「金毘羅船々」は、大阪あたりから金比羅船でやってきたお客が歌いだしたといわれている。お座敷遊びの中では、向かいあう２人がまん中にふせた器に手をおいたりとったりするゲームで、一番の歌詞を何度もくり返しながらだんだんはやく歌って遊ぶ。「こんぴらふねふね」という歌いだしの言葉が軽快なリズムとなり、時代をこえて親しまれている。

瀬戸内海に面する香川県には海の守護神としてあがめられている金刀比羅宮があり、「こんぴらさん」と親しまれている。江戸時代、金比羅参りは伊勢参りとともに、流行した。多くの参拝客によって金毘羅船々の歌も広まったんじゃ。

全国からくる参拝客のためにたくさんの灯籠や鳥居など道しるべがつくられたの。今でも多く残っているのよ。

瀬戸内海を航海する船の道しるべとして建てられた高灯籠。1865（慶応元）年に完成した高さ27メートルの日本一高い灯籠。

民謡を楽しもう！

みんなを笑わせて福をよぶ
三河萬歳（御門開き（西尾市））

祝福芸の歌
愛知県

> あら楽しやな　鶴は千年の名鳥なり
> 亀は万年の　齢を保つ
> 鶴にすぐれし　亀にも優る
> 千代経て　千代の　ヘヘ　コレワイ　新玉へ
> 御年の始めの　ヘヘ　アハ　朝には
> 水も若やぐ　ヘヘ　コレワイ　木の芽咲く
> 栄えて富が　しきりに来る
> 祝の者とは　ヘヘ　コレワイ　候いける

左横：子どもたちのための歌、語り物、祝福芸の歌

家をまわって福をくばる

萬歳は毎年、正月になると太夫役と才蔵役が一組となって、家々を訪れて、めでたい言葉で祝福して、お金や米などをもらう祝福芸。三河萬歳は江戸時代からは関東や東北までその範囲を広げていた。太夫は扇を持っておめでたい言葉を言って舞い、才蔵は小鼓を打って拍子をとる。太夫と才蔵はおもしろいかけ合いで人々を笑わせ福を招いた。

> 愛知県は尾張地方と三河地方に分かれ、萬歳がさかんにおこなわれた。三河萬歳が古く、尾張萬歳は三河萬歳をもとに生まれたんじゃ。萬歳は千秋萬歳のことで、末代まで栄えますようにと祈る意味があるんじゃ。

今の漫才のルーツ

太夫と才蔵は、今でいう漫才のボケとツッコミの原型だ。昭和の時代まで、このような太夫と才蔵の形の漫才が残っていて、寄席で昔の萬歳をしのぶことができた。今でも尾張萬歳は、保存会がその芸を伝承している。

> 秋田県にあった秋田萬歳の才蔵が囃す言葉のリズムは、秋田音頭のリズムと同じなんだよ。

※千秋萬歳……とても長い時間のことで、長寿を祝う言葉。

子守歌、わらべ歌ってどんな歌？

子守歌は昭和30年代ごろまで日本各地で見られた子守の仕事をしていた少女たちが歌った歌です。ぐずる子をおぶって寝かせるために歌う様子が多くの写真に記録されています。一方、わらべ歌は子どもたちの生活の中で歌いつがれてきた遊びの歌です。子どもたちは遊びや行事の中で自然に歌いだし、その場で歌詞もつくりました。遊びで歌う歌、自然に対して歌いかけるものなど、わらべ歌にはたくさんの種類があります。

子守歌

昔は子どもも仕事をしていた。少女たちは子守の仕事をするため、親元をはなれて子守奉公に出ていた。そうした少女たちが、はなれた両親や家族を恋しがる歌や、仕事のつらさをなげく歌などが子守歌として知られている。▶67ページ

わらべ歌

わらべ歌には、集団で遊ぶときの歌、1人で遊ぶときの歌など、地域ごとにたくさんの歌がある。集団で遊ぶときの歌には、なわとび歌、鬼遊びの歌など、1人で遊ぶときの歌には、まりつき歌やお手玉の歌、絵かき歌などがある。また、「明日天気になれ」「大寒小寒」など自然への願いなどを歌いかける歌もある。子どもたちは生活の中でいろいろな場面で、気持ちを言葉に出して歌をつくりあげてきた。▶67ページ

子守歌、わらべ歌

民謡を楽しもう！

お盆に帰れる日を夢見て歌う
五木の子守唄

子守歌
熊本県

♪ おどま盆ぎり盆ぎり
盆から先ゃ居らんと
盆が早よ来りゃ早よ戻る

少女たちが自分をなぐさめた歌

江戸時代、村々には庄屋がいて村を治めていた。この地の少女たちは8歳ごろから庄屋の家へ奉公に出て、子守の仕事をしていた。「五木の子守唄」は、お盆がきたら自分のうちに帰れると、子守の少女たちが自分をなぐめて歌った歌。

熊本県の五木村に伝わっている子守歌じゃ。

みんなで歌って遊ぶ
なべなべそこぬけ

わらべ歌
全国

♪ なべなべそこぬけ
そこがぬけたら　かえりましょ

わらべ歌は地域によって歌詞がかわるぞ。

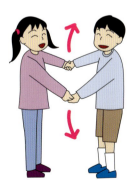
2人組になって向かい合わせで手をつなぐ

腕を振りながら歌う

手をつないだままグルンとまわって背中合わせになる

67

民謡を楽しもう！

アイヌの歌ってどんな歌？

アイヌ民族は、今はおもに北海道に住んでいますが、昔は日本の東北地方北部から樺太（サハリン）の南部や千島列島に住み、独自の文化をつくりあげてきました。アイヌ民族は自然のすべて、あらゆる動物も神であると信じています。アイヌの歌には、おどりとともにある歌、儀式の中で歌われる歌、作業をしながら歌う歌、物語を語るものなど、いろいろあります。

アイヌの子守歌「ピルカピルカ」

ピルカ　ピルカ 〜♪
タント　シリ　ピルカ
ピルカ　ピルカ
イナンクル　ピルカ
ピルカ　ピルカ
イナンクル　クヌンケ

アイヌの歌やおどりには、動物や虫や鳥が出てくるものが多い。これは自然をうやまっているからなんじゃ。「ピルカピルカ」は伝統的な子守歌じゃ。「よいな、よいな、天気がよいな」と歌っておるんじゃよ。この子守歌は、若い男女の恋愛の歌とも、いわれておるよ。

アイヌの楽器「ムックリ」

楽器も独自のものがいろいろある。「ムックリ」はアイヌの代表的な楽器で、竹でつくった楽器をくちびるの間に入れて音を出すことから口琴ともよばれる。

竹片の一部を切り出してリードをつくり、両端にひもをつけて片方のひもを強く引っぱってリードを振動させて音を出す楽器。かすかな音だが、神に聞かせるための音なので大きな音を出す必要はなかった。

新しい民謡ってどんな歌？

大正時代の後半から昭和の時代にかけて、全国各地で土地の名物などを歌詞にしてアピールした新しい民謡がつくられました。それらは「新民謡」とよばれます。

オリンピックの成功を祈って歌われた「東京五輪音頭」

「東京五輪音頭」は、1964（昭和39）年におこなわれた東京オリンピックのテーマソング。作詞は宮田隆、作曲は古賀政男。

ハアー　あの日ローマで　ながめた月が
ソレ　トトントネ
きょうは　都の　空照らす
ア　チョイトネ
四年たったら　また会いましょと
かたい約束　夢じゃない
ヨイショ　コーリャ　夢じゃない
オリンピックの　顔と顔
ソレ　トトント　トトント　顔と顔〜♪

静岡県を宣伝！30番まで続く「ちゃっきり節」

「ちゃっきり節」は静岡市にあった遊園地を宣伝する歌として昭和のはじめにつくられた。作詞は北原白秋、作曲は町田嘉章。30番まであって、静岡県内の地名や方言がたくさん入っている。歌詞やおどりに茶つみの様子があらわされている。

唄はちゃっきりぶし　男は次郎長
花はたちばな　夏はたちばな　茶のかおり
ちゃっきり　ちゃっきり　ちゃっきりよ
蛙が啼くんて　雨ずらよ

全国の民謡

日本全国、それぞれの地域で親しまれた民謡があるね。どんな民謡があるか見てみよう。

- ♪ 仕事の歌
- ♪ おどりの歌
- ♪ 祭りや祝いの歌
- ♪ 楽しむための歌、語り物、祝福芸の歌
- ♪ 子守歌、わらべ歌
- ♪ 新しい民謡

佐賀県
- ♪ 岳の新太郎さん

福岡県
- ♪ 黒田節
- ♪ 北九州炭坑節

島根県
- ♪ 安来節

鳥取県
- ♪ 貝殻節 ▶76ページ

滋賀県
- ♪ 江州音頭

京都府
- ♪ 福知山音頭

長崎県
- ♪ ぶらぶら節
- ♪ のんのこ節

大分県
- ♪ 鶴崎踊

広島県
- ♪ 田植歌（壬生の花田植）▶51ページ

岡山県
- ♪ 北木島石切唄
- ♪ 米のなる木

大阪府
- ♪ 河内音頭
- ♪ 三十石船唄

熊本県
- ♪ 五木の子守唄 ▶67ページ

宮崎県
- ♪ ひえつき節

山口県
- ♪ ヨイショコショ節

兵庫県
- ♪ デカンショ節 ▶56ページ

鹿児島県
- ♪ 鹿児島小原良節
- ♪ 朝花節

愛媛県
- ♪ 伊予節

香川県
- ♪ 金毘羅船々 ▶64ページ

奈良県
- ♪ 吉野川筏唄

高知県
- ♪ よさこい節 ▶74ページ

徳島県
- ♪ 阿波よしこの

和歌山県
- ♪ 串本節

沖縄県
- ♪ 谷茶前 ▶57ページ
- ♪ てぃんさぐぬ花

民謡豆知識じゃよ

民謡の名前にはよく「音頭」「甚句」「追分」といった言葉がつくことが多い。「○○音頭」は、最初に1人が歌いだす歌い方の曲や、1人でテンポよく歌う曲のこと。盆おどりでおどられる曲が多いんじゃ。「○○甚句」は、七七七五調でできていて、○○に土地の名前が入ることが多いんじゃ。「○○追分」は「追分節」ともいい、多くは拍節がわかりにくい自由リズムの歌が多いぞ。歌詞がわかるように歌いだしに詞をまとめ、そのあとを自由に伸ばして旋律を装飾して歌う特徴があるんじゃ。

民謡を楽しもう！

北海道
- ♪ ピルカピルカ ▶68ページ
- ♪ ソーラン節 ▶74ページ
- ♪ 江差追分 ▶76ページ

青森県
- ♪ 津軽じょんから節 ▶76ページ

秋田県
- ♪ 秋田おばこ
- ♪ ねんねこころちゃこ
- ♪ 秋田音頭

岩手県
- ♪ 南部牛追唄
- ♪ 南部木挽唄

宮城県
- ♪ 斎太郎節 ▶50ページ

山形県
- ♪ 花笠踊 ▶74ページ

福島県
- ♪ 会津磐梯山

新潟県
- ♪ 佐渡おけさ
- ♪ 酒屋歌（さんころ） ▶53ページ

富山県
- ♪ 越中おわら節
- ♪ こきりこ節 ▶59, 74ページ

石川県
- ♪ 山中節 ▶76ページ

福井県
- ♪ 三国節

岐阜県
- ♪ 郡上節

長野県
- ♪ 小諸馬子唄
- ♪ 木曽節

山梨県
- ♪ 縁故節
- ♪ 馬八節

愛知県
- ♪ 岡崎五万石
- ♪ 三河萬歳 ▶65ページ

三重県
- ♪ 伊勢音頭 ▶63, 74ページ

静岡県
- ♪ ちゃっきり節 ▶69ページ

埼玉県
- ♪ 秩父音頭

東京都
- ♪ 江戸木遣唄
- ♪ 大島節
- ♪ 東京音頭 ▶74ページ

神奈川県
- ♪ 箱根馬子唄 ▶52ページ

群馬県
- ♪ 八木節 ▶55ページ
- ♪ 草津節

栃木県
- ♪ 日光和楽踊
- ♪ 八木節 ▶55ページ

茨城県
- ♪ 磯節

千葉県
- ♪ 銚子大漁節

コラム4　雅楽「越殿楽」がルーツの「黒田節」

「黒田節」は福岡県に伝わる民謡。黒田藩（現在の福岡県）の武士が歌っていた歌。「越天楽」という雅楽の曲を練習するときに歌う唱歌のメロディがもとになった。「酒は飲め飲め　飲むならば〜」という歌詞は、豊臣秀吉の家臣の福島政則が、黒田藩藩主の黒田長政からつかわされた母里太兵衛に大酒を飲ませて、母里は飲んだほうびとして福島家の家宝で豊臣秀吉からもらった槍「日本号」をもらってくるという話がもとになっている。この歌は今でも酒の席でよく歌われ、おどりもつくようになった。

民謡で使う楽器

　もともと民謡は手をたたく手拍子、足をふみならす足拍子で歌われることが多かったのですが、民謡におどりがつき、おどりの人が増えてくると、にぎやかさが必要になり、伴奏に笛や太鼓、あたり鉦、手平鉦など ▶60ページ が使われるようになりました。また、富山県のこきりこ竹や、高知県の鳴子のようなその地方独特の楽器もつくられました。

すりざさら

田楽で使われる楽器。グルグルとうず巻くようにけずった木の棒（長さ約53センチ）と、竹筒の片側を細くさいた「ササラ」（長さ約38センチ）の組み合わせ。ササラで棒のけずっている部分を打ったり、すったりして音を出す。「こきりこ節」 ▶59,74ページ で使われる。

「こきりこ節」で使われる大きなびんざさら。除夜の鐘の数と同じ108枚でできている。両端を持って、波打つように動かして音を出す。

こきりこ竹

「こきりこ節」 ▶59,74ページ で使われる楽器。けむりでいぶして乾燥させた竹（すす竹）を使う。長さ約22.8センチ。外側の直径は約1センチで、管によってことなる。

びんざさら

漢字では「編木」と書く。日本全国の田楽の舞で使われ、楽器の両端を持ってシャキ、シャキと打ち合せて音を出す。右の大きいほう（長さ約115センチ）は「こきりこ節」 ▶59,74ページ で使われ、左の小さいほうは、岩手県にある毛越寺の「毛越寺二十日夜祭」の延年の舞、東京都にある浅草神社の「三社祭」、奈良県にある春日大社の「春日若宮おん祭」の田楽の舞などで使われる。

※鳴子……もとは田畑で稲を食べる鳥などを追いはらうためにつり下げられた音がなる竹製の道具のこと。民謡では持ち手のついた板に木片をつけて、振って鳴らす楽器のことをさす。

民謡を楽しもう！

三味線

棹の太さによって細棹、中棹、太棹の3種類がある。バチには象牙やツゲの木、糸と革の間におく駒には動物の骨や水牛の角、象牙などを使う。バチや駒の材質と、糸の太さで音色が大きくかわる。写真は細棹で、全長約97センチ。長唄や民謡に使われる。

尺八

「尺八」とは一尺八寸（約54.54センチ）の縦笛の意味。長いものには二尺四寸（約72.72センチ）の尺八もある。古代の中国から伝わった笛が日本独自の形となり、仏教のひとつ普化宗にたずさわる虚無僧の楽器として使われたり、箏、三味線といっしょに演奏される三曲合奏で使われたりした。その後、三味線、太鼓とともに民謡の伴奏に使われるようになった。写真の尺八は、一尺三寸（約39.39センチ）。

あなは前に4つ、後ろに1つの5つが基本だが、現在は7つや9つもある。口をあてる部分は歌口といい、ななめにけずられている。

締太鼓

革は牛革で、テレンとよぶ組み立て式の台に設置する。バチはカシ製で、祭り囃子で使うものは直径約1.7センチ。バチの太さで音色がかわり、音楽に合わせて打つ。打つ面の中心には円形の革をはり、響きを調整する。面の外側の直径約35センチ。

胡弓

日本音楽の中ではめずらしい、弓でひく楽器。もの悲しさを感じさせる音色が特徴。3絃の胡弓が一般的だが、名古屋には4絃の胡弓もある。富山県の「越中おわら節」や愛知県の「尾張萬歳」で演奏される。歌舞伎や文楽でも演奏されることもある。この胡弓は全長約70センチ。

73

声で盛り上げるお囃子

民謡にお囃子はつきものです。お囃子とは、歌やおどりの調子をとったり、盛り立てる役割をします。楽器のお囃子と声のお囃子があります。声のお囃子は、歌の間合いをとったり、歌の情緒を引き立てたりします。囃子詞には、軽快でリズミカルなものが多く民謡をより印象づけます。「ソーラン節」「よさこい節」など囃子詞が曲名になっている民謡も少なくありません。

> ヤートコセーノ　ヨーイヤナ
> アリャリャ　コレワイセ
> コノヨーイトセー　〜♪

「伊勢音頭」三重県

> 窓のサンサも　デデレコデン
> はれのサンサも　デデレコデン〜♪

「こきりこ節」富山県

> チョイチョイ
> ヤッショ　マカショ〜♪

「花笠踊」山形県

> ヤーレン　ソーラン
> ソーラン　ソーラン
> ソーラン　ソーラン　ハイハイ　〜♪

「ソーラン節」北海道

> ヤートナー　ソレ
> ヨイヨイヨイ　〜♪

「東京音頭」東京都

> ヨサコイ　ヨサコイ　〜♪

「よさこい節」高知県

囃子詞は、つくられたころは意味のあるものもあったんじゃが、今ではその多くは意味不明になっておるんじゃ

民謡の歴史

民謡とは民衆の歌です。人はうれしいときに声をあげたり、悲しいときに自分をはげましたり、遠くに何かを伝えるために声を出したりしますが、この声が言葉になったり、言葉の抑揚やリズムが強調されたりして歌が生まれました。

生活の中から生まれた音楽

歌のはじまりは、神に祈ったり、神を祝福したり、神の霊をなぐさめたりするときの「声」でした。日本では自然界にあるものすべてに神が宿っていると信じられていて、日照りや洪水などをさけるため、また実りに感謝して神に祈ったのです。

民謡は日常生活の中から生まれました。田植えのときの田植歌、お茶を摘むときの茶つみ歌、漁業で船をこぐときの櫓こぎ歌などです。そして、仕事以外の歌も生まれます。家の新築や婚礼や長寿を祝う祝賀歌、神事や祭りで歌われる歌などです。

民謡は歌ごとに目的があって生まれた歌なのです。そして、人々の生活と結びついて、口から口へと伝えられてきました。

民謡の流行

「民謡」という言葉ができたのは、近年のことです。明治の文明開化で西洋の学問が入ってきたことで、ドイツ語の「フォルクスリート」という言葉に対して「民俗歌謡」という言葉ができ、その頭とおしりをとって「民謡」という言葉が生まれたようです。民謡という言葉がない時代、「小歌」「俚謡」「俗謡」など、いろいろいわれていましたが、歌っている人にとってはどれも「うた」でした。

民謡が認められるようになると、各地の民謡が楽譜に書きとられ、第二次世界大戦後には五線譜で音楽が表現されるようになります。そして、1946（昭和21）年にはじまったNHKラジオ「のど自慢素人音楽会」をきっかけに、民謡ブームがおこります。各地の人々が歌った民謡が、日本中に放送されました。今では、全国各地で民謡大会がおこなわれるなど、民謡の楽しみもかわり、大きな広がりをみせています。

全国の民謡大会

全国各地で、さまざまな民謡大会が開かれています。いろいろな地域の歌が聞ける大会や、有名な民謡にちなんだ大会など、子どもから大人まで、それぞれが好きな民謡を歌い競います。

江差追分全国大会
秋に北海道檜山郡でおこなわれる。「江差追分」の歌い手が集まり、競いあう。

津軽五大民謡全国大会
5月に青森県弘前市でおこなわれる。「津軽じょんから節」「津軽あいや節」「津軽小原節」「津軽よされ節」などの部門がある。

郷土民謡民舞全国大会
毎年秋に関東地区でおこなわれる。民謡や民舞、三味線などを競う全国大会。

日本海民謡祭山中節全国コンクール
毎年9月、石川県加賀市でおこなわれる。「山中節」の歌い手が集まる。

日本民謡ヤングフェスティバル全国大会
8月に大阪府でおこなわれる。全国の若者が競いあう。

民謡コンクール貝殻節全国大会
鳥取県鳥取市でおこなわれる。全国から「貝殻節」の好きな人が集まり競いあう。

ほかにもまだまだあるよ。近くでおこなわれる民謡大会をさがしてみよう。

民謡歌手になるには

民謡歌手にはどうやってなるのでしょうか？民謡歌手として活躍している原田直之さんにお話を聞いてみました。

原田直之さんプロフィール

1942(昭和17)年、福島県浪江町生まれ。民謡歌手(日本コロムビア株式会社所属)、一般社団法人日本歌手協会理事。
1981(昭和56)年、第2回松尾芸能賞・歌謡芸能部門で「歌謡芸能賞」受章。
2008(平成20)年、公益財団法人日本民謡協会より民謡名人位受章。
2011(平成23)年、一般財団法人日本郷土民謡協会より民謡栄誉賞受賞。
2013(平成25)年、浪江町名誉町民の称号を授与。
2014(平成26)年、春の叙勲「旭日双光章」受章。

原田さんは子どものころから民謡の練習をしていたんですか？

子どものころは、絵が好きだったんだ。でも両親が歌が好きで、よく音楽は聞いていたよ。

どうやって民謡歌手になったんですか？

民謡の大会で優勝してね、高校生のころに、民謡の先生に習うようになったんだ。写真は、民謡の先生・我妻桃也先生と歌っているところだよ。

そして、東京に出て結婚式場の民謡部という民謡のプロたちがいるところに入って、プロとして民謡を歌うようになったんだ。当時の写真だよ。となりで三味線をひいているのは奥さんなんだ。

民謡は、地域によってちがいますよね。原田さんはどの地域の歌も歌うのですか？

そうだね。全国にコンサートに行くから、必ず、行く場所の民謡は歌うようにしているよ。

民謡がじょうずになるにはどうしたらいいですか？

民謡は、自由に歌っていいところが魅力だと思うんだ。「こぶしをきかせて」「節まわしは……」、なんてむずかしく考えず、楽しんで、一所懸命に歌うといいよ。

＊こぶし……民謡などを歌うときの旋律のかざり方。声をついてあてるような歌い方。　＊節まわし……歌の節の上がり下がりや強弱など、旋律の歌い方。

さくいん

あ
会津磐梯山 … 71
アイヌ／アイヌの歌 … 47,68
秋田おばこ … 71
秋田音頭 … 65,71
朝花節 … 70
東遊 … 5,9,33,37,43
新しい民謡 … 47,69
あたり鉦 … 60,61,72
安名尊 … 36
阿波おどり … 54
阿波よしこの … 70
伊勢音頭 … 63,71,74
伊勢神宮 … 43,63
伊勢海 … 36
伊勢参り … 62,63,64
磯節 … 71
五木の子守唄 … 67,70
今様 … 35
伊予節 … 70
祝いの歌 … 58,59
石清水八幡宮 … 43
陰陽思想 … 34,39
歌物 … 9,35,36
雅楽寮 … 41,42,43
打物 … 11
右方 … 8,29,32,33
右舞 … 29,33,41,44
エイサー … 54
江差追分 … 71,76
江差追分全国大会 … 76
越中おわら節 … 71,73
越殿楽 … 13,15,17,19,21,23,25,27,71
江戸木遣歌 … 71
延喜楽 … 33,34
縁故節 … 71
延年の舞 … 72
塩梅 … 25
振鉦 … 4
追分（追分節）… 52,70
横笛 … 26

お
大歌 … 5,9,37
大島節 … 71
大太鼓（宮太鼓／長胴太鼓）… 60,61
岡崎五万石 … 71
お木曳歌 … 63
織田家／織田信長 … 7,30,42
おどりの歌 … 46,54,55,56,57
お囃子 … 59,60,63,74
おわら風の盆 … 54
尾張萬歳 … 65,73
音階 … 39
音叉 … 38
音頭 … 51,55
御柱祭 … 48
音名／音律 … 23,38

か
貝殻節 … 70,76
雅楽局 … 42
篝の舞楽 … 43
楽家 … 42,44
楽所 … 42
楽箏 … 20
楽所幕 … 7,42
楽太鼓 … 14
楽人 … 7,39
楽譜 … 61
神楽祭 … 43
神楽笛 … 37
鹿児島小原良節 … 70
嘉辰 … 36
春日祭 … 43
春日大社 … 43,72
春日若宮おん祭 … 43,72
語り物 … 47,62
楽器 … 8,11,16,20,23,30,31,33,40,41,43,44,54,59,72,73,74
鞨鼓 … 11,12,13,15,17,31,44
賀殿 … 34
鉦 … 16,51,54,55,60
加茂祭／葵祭 … 43
加茂別雷神社／上加茂神社 … 43
迦陵頻 … 31,34
河内音頭 … 70
管楽器 … 11,22,31,44
管絃 … 8,11,12,13,14,16,18,22,24,26,35,37,39,41
管絃祭 … 43
漢詩 … 5,9,35,36,41
木曽節 … 71
北木島石切唄 … 70
北九州炭坑節 … 70
貴徳 … 33,34
木遣り歌 … 48
宮廷歌謡 … 5,41
経供養 … 43
郷土民謡民舞全国大会 … 76
桐生八木節まつり … 55
草津節 … 71
串本節 … 70
郡上おどり … 54
郡上節 … 71
宮内庁式部職楽部 … 6,7,42,43
国風歌舞 … 9,37
久米歌（久米舞）… 5,37
黒田節 … 70
クワ金 … 59
鶏足 … 21
絃楽器 … 11,44
源氏物語 … 35,37
江州音頭 … 70
小歌 … 75
高長恭 … 30
胡弓 … 62,73
こきりこ竹 … 59,72
こきりこ節 … 59,71,72,74
国立劇場 … 43
瞽女歌 … 47
五節舞 … 5,9,37
胡蝶 … 33,34
御鎮座祭 … 43
小鼓 … 47,59,65
琴 … 37
金刀比羅宮 … 64
近衛／近衛府 … 33,34
こぶし … 77
高麗楽 … 4,29,32
高麗笛 … 33,37

米のなる木 … 70
子守歌 … 47,66,67
小諸馬子唄 … 71
更衣 … 36
金毘羅船々 … 64,70
金比羅参り … 62

さ
才蔵 … 62,65
斎太郎節 … 50,71
催馬楽 … 5,9,36
酒屋歌／さんころ … 53,71
ササラ … 72
差貫 … 30,32
佐渡おけさ … 71
左方 … 8,29,30
左舞 … 29,31,41,44
三国楽 … 40,41
三十国船歌 … 70
三社祭 … 72
散手 … 31,34
三線 … 57
三ノ鼓 … 33
三板 … 57
サンバイ竹 … 51
三方楽所 … 42
敷舞台 … 6,7
仕事の歌 … 46,48,49,50,51,52,53
四丁目 … 60,61
締太鼓 … 33,61,73
尺八 … 73
笏拍子 … 36,37
三味線 … 47,54,62,73,76,77
十二律 … 38
祝福芸の歌 … 47,62
春庭花（春庭楽）… 31
笙 … 11,13,22,23,31,36,40,44
唱歌 … 44,71
鉦鼓 … 11,13,17,31,33,44
装束 … 30,31,32,33,34,37,43
菖蒲祭 … 43
精霊会舞楽大法要 … 43

しんみんよう 新民謡	47,69
すりざさら	72
せいがいは 青海波	35
せかいむけいぶんかいさん 世界無形文化遺産	4,42,51
せつぶんまんとうろう 節分万燈籠	43
せんしゅうばんぜい 千秋萬歳	65
せんりつ 旋律	36,70,77
そう 箏	11,20,21,36,41
ソーラン節	71,74

た

たいこ 太鼓	11,14,15,31,33,44,47,51,55,57,59,72
たいへいらく 太平楽	31
たいりょううたいこみ 大漁唄い込み	50
たうえうた 田植歌	51,70,75
だがっき 打楽器	11,33,39,44,51
たかぶたい 高舞台	6,43
たけのしんたろうさん 岳の新太郎さん	70
だだいこ 大太鼓	6,7,34
たてぶえ 縦笛	24
たのしむためのうた 楽しむための歌	47,62,63,64
たゆう 太夫	62,65
たんちゃめ 谷茶前	57,70
ちちぶおんど 秩父音頭	71
ちゃっきりぶし ちゃっきり節	69,71
ちゃつみうた 茶つみ歌	75
ちゅうげんまんとうろう 中元万燈籠	43
ちゅうごくたいりく 中国大陸	4,8,29,40
ちょうしたいりょうぶし 銚子大漁節	71
ちょうしぶえ 調子笛	38
ちょうじゅさい 長寿祭	43
ちょうせんはんとう 朝鮮半島	4,29,32,40,41
ちょうほうらく 長保楽	34
ついまい 番舞	34
つがるあいやぶし つがるおはらぶし 津軽あいや節/津軽小原節/津軽よされ節	76
つがるごだいみんようぜんこくたいかい 津軽五大民謡全国大会	76
つがるじょんからぶし 津軽じょんから節	71,76
つけもの 付物	36
つづみ 鼓	55
つりしょうこ 釣鉦鼓	16
つりだいこ 釣太鼓	14
つるおかはちまんぐう 鶴岡八幡宮	42,43
つるさきおどり 鶴崎踊	70
ていんさぐぬはな てぃんさぐぬ花	70
デカンショ節	56,70
デカンショ祭	56
てびらがね 手平鉦	60,72
でんがく 田楽	59,72
とうがく 唐楽	4,8,29,30,41
とうかさい 桃花祭	43
とうかしんじ 踏歌神事	43
とうきょうおんど 東京音頭	74
とうきょうごりんおんど 東京五輪音頭	47,69
どうびょうし 銅拍子	31
どうぶ/わらべまい 童舞/わらべまい	29,31,33
とうろう/たかどうろう 灯籠/高灯籠	64
としまじんく 遠島甚句	50
ドヤ節	50
とらがく 渡羅楽	41

な

なそり 納曽利	32,33,34
なべなべそこぬけ	67
なるこ 鳴子	72
なんぶうしおいうた/なんぶこびきうた 南部牛追唄/南部木挽唄	71
にしもないぼんおどり 西馬内盆踊り	54
にっこうわらくおどり 日光和楽踊	71
にほんかいみんようさいやまなかぶしぜんこくコンクール 日本海民謡祭山中節全国コンクール	76
にほんみんようヤングフェスティバルぜんこくたいかい 日本民謡ヤングフェスティバル全国大会	76
ねとり 音取	39
ねぶたばやし ねぶた囃子	60
ねんねころちゃこ ねんねこころちゃこ	71
ねんぶつおどり 念仏おどり	54
のべがく 延楽	39
のんのこ節	70

は

ばいろ 陪臚	33
はこねはちり 箱根八里	52
はこねまごうた 箱根馬子唄	52,71
はしりまい 走舞	29,30,31,32,33
はながさおどり 花笠踊	74
はやがく 早楽	39
はやしことば 囃子詞	54,56,74
ひえつきぶし ひえつき節	70
ひきもの 弾物	11
ひちりき 篳篥	11,23,24,25,31,33,36,37,44
ひとりまい 一人舞	33
ひょうし 拍子	13,14,15,17,19,21,23,25,27,39,53
ひらまい/ぶんのまい 平舞/文舞	29,31,33
ピルカピルカ	68,71
びわ 琵琶	11,18,19,36,41,62
びんざさら びんざさら（編木）	59,72
ふえ 笛	11,23,26,27,31,36,37,44,51,55,61,72
ぶがく 舞楽	8,29,30,31,32,33,34
ぶがくしんじ 舞楽神事	43
ぶがくはじめしき 舞楽始式	43
ふきもの 吹物	11
ふくちやまおんど 福知山音頭	70
ふしまわし 節まわし	77
ふたりまい 二人舞	32
ぶのまい 武舞	29,31,33
ふめん 譜面	13,15,17,19,21,23,25,27
ぶらぶらぶし ぶらぶら節	70
ぶんかのひまんようががくかい 文化の日萬葉雅楽会	43
ぶんらく 文楽	73
へいけものがたり 平家物語	35,62
へいし/へいけ 平氏/平家	42,59
ほう 袍	30,32
ほうしょう 鳳笙	22
ぼっかい/ぼっかいがく 渤海/渤海楽	32,41
ぼんおどりのうた 盆おどりの歌	54,55,56

ま

まいにん 舞人	4,29,31,33
まくらのそうし 枕 草子	35,41
まご/まごうた 馬子/馬子歌	49,52
まつり/まつりのうた 祭り/祭りの歌	58,60
まつりばやし 祭り囃子	60,61
まはちぶし 馬八節	71
まんざい 萬歳	47,62,65
まんざいらく 萬歳楽	31,33,34
みかぐら 御神楽	5,9,37
みかわまんざい 三河万歳	65,71
みくにぶし 三国節	71
みのやま 蓑山	36
みぶのはなたうえ 壬生の花田植	51
みんようかしゅ 民謡歌手	77
みんようコンクール かいがらぶしぜんこくたいかい 民謡コンクール 貝殻節全国大会	76
みんようたいかい 民謡大会	76
むけいみんぞくぶんかざい 無形民俗文化財	56
むしろだ 席田	36
ムックリ	47,68
むらさきしきぶ 紫 式部	35
めいじじんぐう 明治神宮	43
めん 面	30,32
もうつうじ/もうつうじはつかやさい 毛越寺/毛越寺二十日夜祭	72

や／ら／わ

ヤートコセー節	63
やぎぶし 八木節	47,55,71
やすぎぶし 安来節	70
やましろ 山城	36
やまとうた/やまとまい 倭歌（倭舞）	5,37
やまなかぶし 山中節	71,76
ヨイショコショ節	70
よしのがわいかだうた 吉野川筏唄	70
よこぶえ 横笛	33,37,59
よさこい節	70,74
らんりょうおう/りょうおう 蘭陵王/陵王	30,31,32,34
りくちょうし 六調子	39
りつ 律	39
りゅうきゅうおんかい 琉球音階	57
りゅうてき 龍笛	26
りょ 呂	39
りょうとう 裲襠	30,32
りんゆうがく 林邑楽	41
ろうえい 朗詠	5,9,35,36,41
ろこぎうた 櫓こぎ歌	50,75
ろぜつ 盧舌	24,25
わかんろうえいしゅう 和漢朗詠集	36,41
わごん 和琴	37
わらべうた わらべ歌	47,66,67

監修／著者	p3-44：NPO法人 雅楽道友会／p45-77：茂手木潔子（聖徳大学音楽学部教授）
企画・制作	やじろべー ナイスク　http://naisg.com 松尾里央　高作真紀　岡田かおり　鈴木英里子　原 宏太郎
制作協力	長田 衛
デザイン・DTP	ヨダトモコ
イラスト	杉本千恵美
撮影	鈴木敏也(p.10-42)　千田兼宏(p.34右)　服部考規(p.60、72-73)　清水重蔵(p.53) 青木信二(p.57 三板、p.60 大太鼓、p73 胡弓)
撮影協力	株式会社 岡田屋布施(p.73 締太鼓)
取材協力	原田直之(日本コロムビア株式会社所属)／株式会社 原田直之音楽事務所
写真・資料提供	宮内庁(p.7、41下、43上)／東儀道子(楽譜p.13、15、17)／天理教中堺分教会 楽中練(楽譜p.19、21)／天理教香川大教会 香川雅正会(楽譜p.23、25、27)／天理大学図書館(p.35)／鈴木治夫(p.38)／東京藝術大学大学美術館(p.41上)／奈良市観光協会(p.43下)／春日大社(p.43)／茂手木潔子(p.53、61、69)／春田敏江(楽譜p.61)／金刀比羅宮(p.64)／株式会社 原田直之音楽事務所(p.77)
参考資料／参考文献	雅楽事典（音楽之友社）／図説　雅楽入門事典（柏書房）／雅楽　日本の伝統芸能１（小峰書房）／雅楽のデザイン（小学館）／雅楽への招待（小学館）／雅楽壱具（東京書籍）／雅楽の源流を求めて（日本雅楽会）／別冊太陽　雅楽（平凡社）／楽家録（現代思潮新社）／ポプラディア情報館　伝統芸能（ポプラ社）／邦楽百科CDブックⅡ　日本の音　声の音楽２（音楽之友社）／日本の民謡と民俗芸能（音楽之友社）／日本音楽叢書七　民俗芸能（一）（音楽之友社）／たのしいこどものうた　600選（自由現代社）／日本民謡辞典（東京堂出版）／日本民謡選集（ドレミ楽譜出版社）／復刻　日本民謡大観　全９巻（日本放送出版協会）／日本音楽大事典（平凡社）／北海道のわらべ歌（柳原書店）／文化デジタルライブラリー（http://www2.ntj.jac.go.jp/dglib/）

日本音楽著作権協会（出）　許諾第１６１４９６０－６０１号
※本書は2017年1月現在の情報に基づいて編集・記述しています。
※本書に掲載の民謡は、著者確認のもと、一般的な歌詞を掲載しておりますが、地域・歌い手によって違いがありますのでご了承ください。
＊「うた」の表記については、「唄」「歌」「謡」などがありますが、本書ではタイトルなどの固有名称・用語を除くものは「歌」で統一しました。

大研究　雅楽と民謡の図鑑

2017年2月25日初版第1刷印刷　　2017年3月10日初版第1刷発行

編集	国土社編集部
発行	株式会社 国土社 〒102-0094　東京都千代田区紀尾井町 3-6 TEL 03-6272-6125　　FAX 03-6272-6126　　http://www.kokudosha.co.jp
印刷	株式会社　厚徳社
製本	株式会社　難波製本

NDC 768・767・384・388　80P　29cm　ISBN978-4-337-27924-7 C8373
© 2017 KOKUDOSHA/NAISG　Printed in Japan